JN082795

支倉六右衛門常長の最期

――帰朝四百年の謎――

慶長十八年九月十五日（一六一三年十月二十八日）、今を去る四百年余り前の昔、遣欧使節支倉常長一行は、サン・ファン・バウティスタ号で仙台領『月浦（つきのうら）』を出港してから、太平洋を横断し、現メキシコから、更に大西洋を越えて欧州へ渡り、スペイン、ローマへと到達した。

その後、再び、大西洋を越え、メキシコ、フィリッピンを経て、足掛け八年の星霜をかけて元和六年八月（一六二〇年九月）、仙台へ帰藩した支倉常長は、帰国後、一年を経ずして病気で死去したと伝えられている。

帰国後の彼の消息については、一切何も伝えられず、また、彼の事績についても、空白のまま封印され謎となっている。

歴史は、この八年もの間に、広大無辺の荒海を越え、苦難を重ねて異国に渡り、再び大海を越えて帰国した男が、何故帰国後一年も経ずして、突然亡くなったのかについては口をつぐんだまま沈黙して語ろうとしない。

その謎に迫ろうというのが、この物語である。

※文中の（注）については各章ごとにまとめました。
※出典資料・写真等については巻末に記載しました。

使節の行程図I

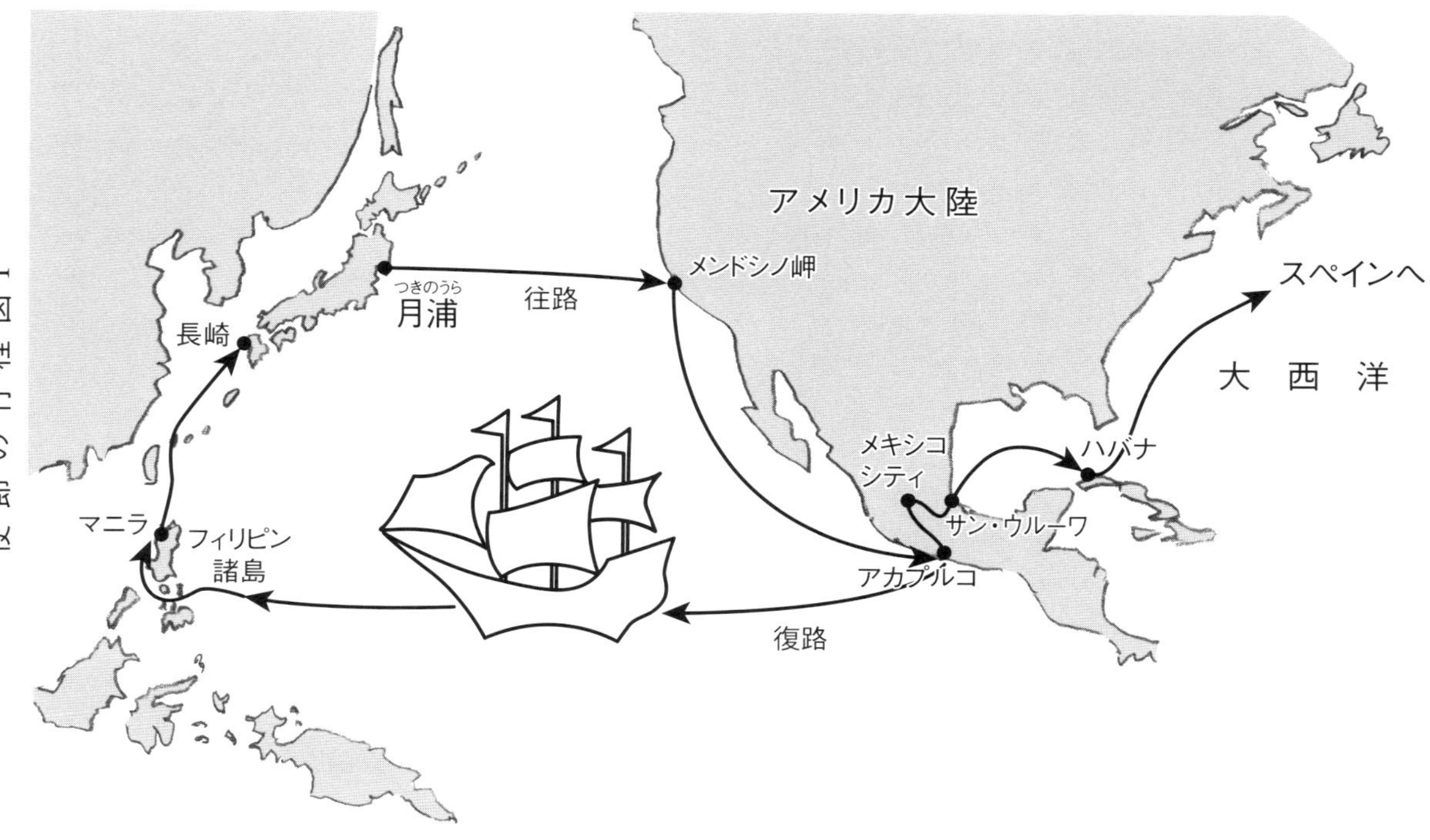
アメリカ大陸
長崎
つきのうら
月浦
往路
メンドシノ岬
スペインへ
大西洋
マニラ
フィリピン
諸島
メキシコ
シティ
ハバナ
サン・ウルーワ
アカプルコ
復路

使節の行程図II

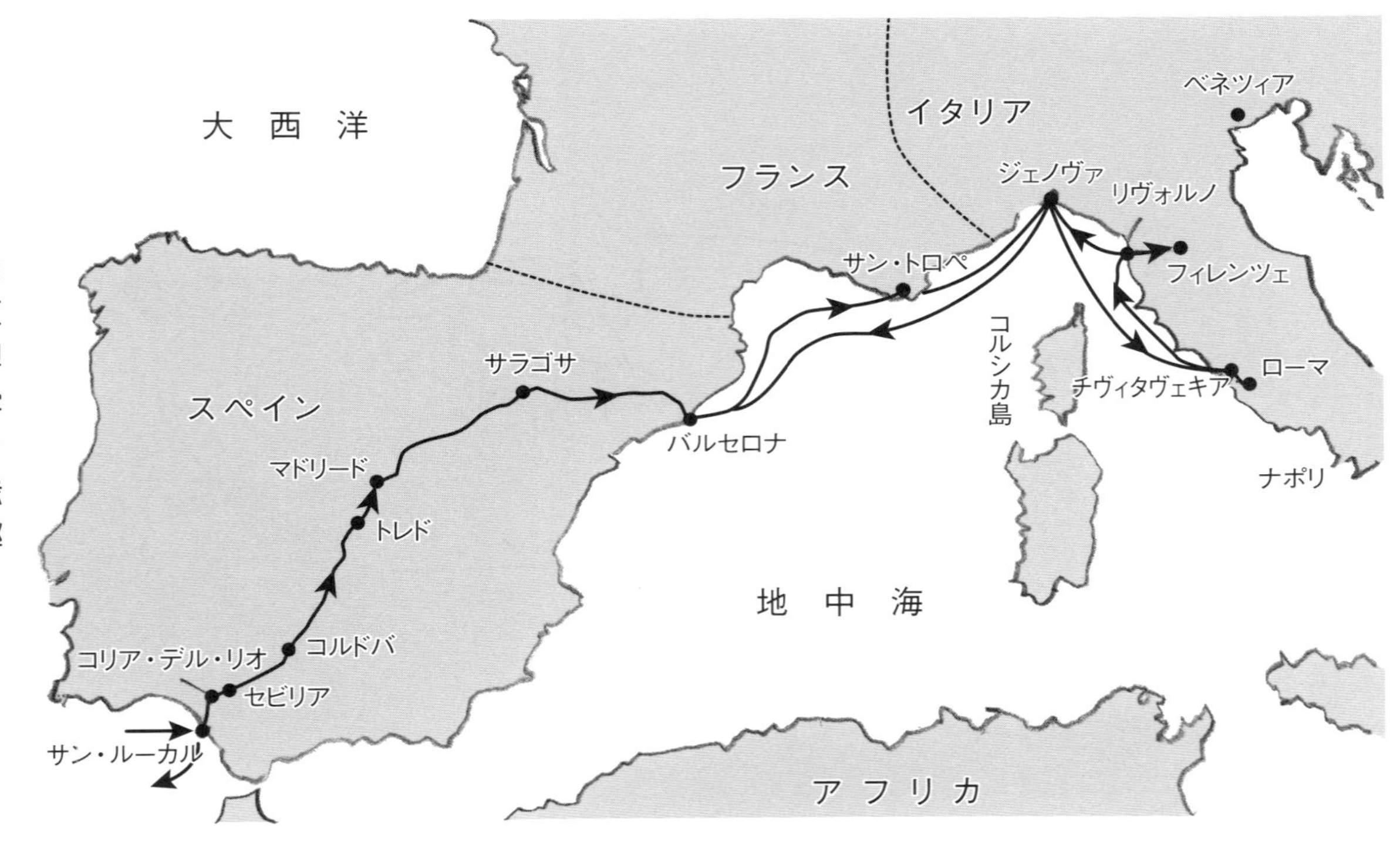

大西洋
フランス
イタリア
ベネツィア
ジェノヴァ
リヴォルノ
サン・トロペ
フィレンツェ
コルシカ島
スペイン
サラゴサ
バルセロナ
ローマ
チヴィタヴェキア
ナポリ
マドリード
トレド
地中海
コリア・デル・リオ
コルドバ
セビリア
サン・ルーカル
アフリカ

目次

第四章　ローマ市入場

第五章　政宗の対応

第六章　常長の最期

エピローグ

序章

明治六年（一八七三年）、明治新政府が派遣した岩倉具視遣欧使節団一行がイギリス、フランスを経てイタリアのヴェネチアを訪れた際に、支倉常長の署名と花押の入った二通の書状を見せられたが、その時、一行は支倉の名前さえ知らず、何故、戦国の世が終わってまだ間もない時代に、仙台藩伊達家の家臣が西洋と通交出来たのかと、驚きを隠せなかったという。

随員の一人であった歴史学者の久米邦武は、眼の前に堂々とペン書きされた常長の署名を見せられ、驚きのあまり、

「伊達氏ノ西洋ニ交通スルハ殆ド怪ムヘキニ似タリ」と、疑問を記したまま、後は史家の考証に任すと述べただけであった。

しかし、この訪問を契機として、突如として『支倉常長』という人物が、それから二百五十年ぶりに歴史に甦ることになるのである。

明治九年（一八七六年）、明治天皇の東北地方巡行の折、仙台で開催されていた博覧会において、初めて常長の持ち帰った資料が天覧に供されたのであった。

常長の持ち帰った品々は現在、『慶長遣欧使節関係資料』として、仙台市博物館に所蔵されており、国宝に指定されている物も多く、その中には、磔刑にされたキリストの『十字架像』や『ロザリオの聖母像』などが含まれており、常長の死後も支倉家の人々が秘かに祀（まつ）り祈っていたことが窺える

のである。

　寛永十七年（一六四〇年）、常長の長子常頼が切支丹（きりしたん）の咎で斬罪に処され、支倉家改易の際に、多くの切支丹関係の品々が押収された。

　それらは全て、明治に到り宮城県に移管されるまで仙台藩の切支丹関係の評定所に収められていた。

　途中、一度、文化九年（一八一二年）十月に、藩の蘭学者大槻玄沢が半日ほど調査する機会を得たが、時間が足りなく全てを考証することは出来なかったようだ。

　ただ、その著書『金城秘韞（きんじょうひうん）』の中で、常長の遺した十九冊の旅日記に触れ、「これらを読めば、常長等の巡ってきた国々のあらましを知ることが出来るだろう」と述べている。

　常長はその旅日記の中で、己の眼で見た当時の世界の実情や事物をまめに記していたという。

　この事から、常長の性格の一端を知ることが出来るのであるが、残念ながら、その日記は明治になって突如、全冊行方が知れなくなってしまった。

　そこには何か、新政府に知られては都合の悪いことが書かれてあったと、何者かが判断したのであろうか、未だに謎のままである。

第一章　帰郷

帰郷

長い旅であった。八年ぶりに見る故郷の山々であった。薄紫色のこんもりとした山容はなだらかな曲線を描いて、岬から奥の湾へと続いていた。波は穏やかであった。

少しずつ船が入江に入ってゆくと、松に被われた島影や濃い緑の山並は、異国で見たどんな樹々の色よりも優しく、柔らかい光を浴びてそこに静かに横たわっていた。

降りそそぐ太陽の光さえ心なしか異国と違って穏やかで、船端（ふなばた）に寄せる波は、母親が子どもを抱きすくめる様に優しく船を包んでいた。この光景を、常長はどれ程待ち望んだであろうか。

長い間、苦労を共にしてきた随員達も水夫達も、皆甲板に出てきて歓声を上げた。

そこにはまぎれもない故郷、日本という山河が息づいていた。

ただ、浜の様子が出航した時と違っている。過般、大勢の人々に見送られた、熱狂のようなものは何もなく、日本の国のどこの海浜にも見られる、藁や茅で蔽（おお）われた漁師の家が散在する、貧しい一漁村がそこに佇んでいるだけの静けさであった。

太陽はだいぶ西に傾き、湾を囲むように延びていた岬の影が海面を鈍色（にびいろ）に染め始め、湾の奥に何か邪悪なものが隠れ潜んでいるかのように、船を黒い影で覆った。

それは長い間、青暗く深い淵に巧妙なワナを掛けて、じっと常長達の帰港を待っていたかのような静けさであった。

そこは入ってはいけない、戻ってはならない、暗黒の港であるかも知れなかった。一旦、中へ足を踏み入れてしまえば、もう二度とは生きて出ることの出来ない蟻地獄の窪みを示唆してはいなかっただろうか。

元和六年（一六二〇年）八月二十四日、遣欧大使支倉常長一行は出航から八年ぶりに無事、仙台領月浦(つきのうら)に到着した。（尚、サン・ファン・バウティスタ号の出帆地、造船地については、現在の牡鹿月浦でない可能性が色々と指摘されています）（注1）

久し振りに踏みしめる故郷の土であった。吹く風の音、磯の香さえどこか他とは違っていた。乗組員も水夫達も、お互いに肩を叩きあい、手を握り、身体いっぱいに大きく息を吸い込んで歓声を上げた。そして、しみじみと故郷の浜の感触を味わった。

船着き場の辺りは既に秋の気配が漂っていたが、吹き渡ってくる風さえ、彼等の浅黒く焼けた肌に心地よかった。

しかし、浜はひっそりとしていて、常長達を迎えるために特別に人々の動く気配はなく、漁師達の殺風景な漁村の風景が広がっているにすぎなかった。

月浦出航以来、何かと常長の補佐役となって務めている小寺外記(こでらげき)などは、

「どうも、寂しい限りですねえ」と、大きなため息をついた。後でも記すが小寺外記はこの遣欧船に幕府から遣わされた侍の一人である。佐藤内蔵丞や丹野久次、佐藤太郎左衛門など仙台藩士で一緒にローマまで行ってきた面々も、皆、常長の周りに集まってきて、やれやれといった安堵の顔に、どれも複雑な色をにじませていた。

一方、政宗より指令を受け、遥々メキシコまで常長一行を迎えに行った横沢将監（よこざわしょうげん）と随員一行は、そのまま真っすぐ仙台の城に直行するという。

「されば、我々もすぐにでも殿にお会いしたいのは山々でござるが、何分、いろいろと積荷が多い故、一旦、屋敷に戻り荷物を整理して、改めて殿にお目通り申し上げる所存である」と、常長は、二日後の二十六日に仙台城に赴く旨を伝えてもらう。

ここで一行は、城に向かう組と、常長の屋敷へ向かう組とに分かれ、各々、別れを告げて先を急いだ。

仙台城大広間

元和六年（一六二〇年）八月末、暑い夏も終わろうとしている青葉山の山頂、一目（ひとめ）四百畳もあろうかと思われる仙台城の大広間の控えの間に、常長は静かに端座していた。

午後の陽が少しずつ陰ってきて、着座している常長の背中の影を青畳の上に長く引いた。聞こえてくるものと言えば、お城の御裏林でこの夏、最後の生の証を示すかのように鳴いている蝉の声ばかりである。

伊達家の正史とされる『伊達治家記録(以下治家記録)』によれば常長が足掛け八年にも亘る歳月をかけ南蛮国より帰国したのは、元和六年(一六二〇年)八月二十六日となっている。

「今日支倉六衛門常長等南蛮国ヨリ帰朝ス(中略)今年呂宋ヨリノ便船ニテ帰朝ス・・・」と、ごく簡単に書かれているだけである。

しかし、今から四百年も前の時代に、現在の遠洋漁船よりも小さな帆船で、世界一周にも匹敵する偉業を果たした常長にまつわる足跡はほとんど書かれていない。

ただ、記録の終わりに「南蛮国ノ事物、六右衛門物語ノ趣、奇怪最多シ」と記されているだけで、常長の最後については、これも簡単に、帰国後一年を経ずして死去した、と伝えているだけである。彼の帰国後のいっさいが謎に包まれている。

仙台に戻った常長を、政宗が果たして直ぐに引見したかどうかも不明であり、その時の会見の記録も何も残されていない。

但し、この『治家記録』の編集は、彼が帰朝してから九十年程経った四代綱村の時に始められたもので、彼の事跡やその後の暮らしぶり等については、全てが歴史の深い闇の中に葬られ、そのまま、今日まで人の記憶から忘れ去られてしまっていたのである。

但し、この空白の時期が、これから常長を語る上で肝心なところなのである。

そんな中で、彼が帰国した時のことを伝える物が国外にほんの僅かだが残されている。

一つは、彼と共にサン・ファン・バウティスタ号で太平洋をノビスパニア（メキシコ）へ渡り、さらに大西洋を越え、イスパニア（スペイン）を経てローマへと赴いたフランシスコ会宣教師ルイス・ソテロ神父が、長崎からローマ教皇グレゴリウス十五世に出した書簡であり、もう一つは、常長が帰国した時期に、仙台近郊に潜伏して布教活動を続けていたイエズス会宣教師ジェロニモ・デ・アンジェリス神父が、マカオのアロンソ・ルセナ神父に送った書簡である。

あとの一つは、同じくイエズス会のポルトガル管区補佐マスカレニャスに出された、日本管区長のフランシスコ・パシェコ神父からの書簡である。

ソテロの書簡は、常長が亡くなったとされる元和七年（一六二一年）の一年後に、ルソン（フィリッピン）より長崎に密入国を決行した際の報告書で、常長について、こう述べている。

「いま一人の大使であるわが同僚フィリップ・ファシクラ（支倉）は国王（政宗）のもとに戻って、（中略）帰国後一年にもならないうちに、あらゆる感化と模範を示して、敬虔（けいけん）のうちに死去しました」と。

この報告は、八年の歳月を一緒に過ごした常長への惜別と深い哀悼の念が込められたものである。

しかし、ソテロは密入国直後に長崎奉行所に捕えられ、そのまま大村の地に入牢の身となっており、この報告書も牢内から出されたもので、彼自身が実際に立ち会ったものではない。

一方、アンジェリスの書簡はと言うと、幕府の禁教令によりマカオに追放されたイエズス会派のアロンソ・ルセナ神父に送付したもので、その頃の日本の実情を伝える報告書である。

因みに、イエズス会というのは、ソテロの属するフランシスコ会とは何かと対立しており、清貧、禁欲、服従の誓いをたて、軍隊的な訓練により厳格に組織された修道会であり、スペインは、これらの宣教師達を植民地の情報活動に使い、布教の後に征服という方針の下、植民地の拠点造りに利用してきていた。

日本に最初にキリスト教を伝えたと云われるポルトガル（イエズス会）のザビエルなども、最近の研究では、日本にスパイとして送られた可能性が高いとされている。

アンジェリスは、その書簡の中で、政宗の慶長使節派遣の意図や、常長の信仰の真偽について、常長は帰国後、政宗に直ちに接見することは出来ず、棄教を条件とされたと述べ、更に、常長は信仰を捨てたと言われていると、ソテロとまったく相反する報告を行っている。しかも、常長が仙台に帰着したその日に政宗が禁教令を出したことも報じている。

さらに詳しく伝えているのが同じ会派のパシェコの書簡で、

「政宗は常長が棄教するまでは会おうとせず、十日過ぎて、常長が以前の宗派に戻ると言った時に彼に会った」と当時の神父や日本人伝道士の様子を詳しく報告している。この書簡で重要なことは、これらの情報が逐一、政宗の近臣である切支丹（キリシタン）侍、後藤寿庵（ジュアン）からもたらされていた、ということである。

さて、常長の話を進めよう。

常長は帰国するや、かれこれ八年ぶりに政宗に会えるという、期待に心を躍らせて仙台城に参上した。

ノビスパニア（メキシコ）やルソン（フィリッピン）で買い集めた献上物を、常長に同行した家僕の茂兵衛と久蔵等が持参していた。

広瀬川にかかる大橋の袂まで来ると、

「お城に参上するのは久しぶりだなあ、茂兵衛」と、常長は白髪のめっきり増えた茂兵衛に呼びかけた。

橋の向こうには青葉に覆われたこんもりとした城山が広がり、眼下に眼をやると、満々と水を湛えた清流が常長の眼に眩しかった。広瀬川の流れは以前と変わらず、大きな弧を描いて青葉山の切り立った断崖の下を流れていた。

三の丸脇の長沼を過ぎ、巽（たつみ）門まで来たが、門扉は硬く閉ざされている。

「ご開門、お願い申す」と、茂兵衛が大声で案内を請うた。

「誰か」と、門の中から不審者でも誰何（すいか）するような声が上がった。

「支倉六右衛門常長でござる。先年、南蛮国へ遣わされ、只今、帰朝つかまつりもうした。是非、殿にお目通りをお願いしたい」

常長が大きな声で名を告げた。

すると、門の奥でなにやらと吟味する気配がし、しばらく待たされた後、ぎぃーっと厚い扉が開けられた。

通常であれば、門士が櫓の上から人物を確認して、すぐに通れる巽門であるが、数人の門士が一行の前に立ちはだかり、ここで色々と取調べられた。

やがて、中へ入れるのは常長一人だけで、供の者は門の外で待つようにと告げられた。

持参した荷物はここで止められ、一旦、評定所へ預かりとなった。常長は家僕と別れて一人で城の本丸をめざし、清水門から坂を曲がり、袴の裾を取ると沢門へと続く道を登って行った。坂道の楢林で遅蝉の鳴く声が喧しい。帰仙から既に十日が過ぎようとしていた。

(なぜ、殿はお出ましになられないのか、この邂逅の時を、儂は、どれほど待ち続けてきただろうか)と、常長は自問する。常長は理由のつかめぬままに誰もいない座敷に一人鎮座していた。

長い間、風浪に晒され、黒光りした常長の額は両脇が少し剥げて、丸顔であった面貌は、鋭い刃物でも当てられたように両頬がほっそりと削げている。その頬を支えるかのように揉上げが迫り出し、伸びた髪はそのまま後ろで束ね、白髪交じりの髷が白布できつく束ねられている。

誰も居ない部屋に一人座っていると、さまざまな思いが、閉じた瞼の裏に去来するのであった。

マニラでの二年の滞在

この章から、旧国名などの表記を、「引用など」を除き現代表記に改めます。

常長一行がサン・ファン・バウティスタ号に乗船し、いよいよ帰国の為、メキシコのアカプルコを出航したのは、元和四年（一六一八年）の三月初めであった。

乗員は常長一行に、日本からの迎船の船長横沢と随員、それに現地に居残っていた日本人、ソテロ神父と同僚の神父達、それにスペイン人兵士であった。

直接日本に向かうのではなく、一旦、スペイン領であるフィリッピンのマニラを経由するということであった。

途中、いくつかの南洋の島嶼（とうしょ）に寄りながら、この航海は特別荒れることもなく、三ヶ月ほどで元和四年（一六一八年）の六月二十日マニラに着いた。

その日は特に暑い日であった。ギラギラと容赦なく照りつける太陽がまともにマニラ湾を照らしていた。

「着いたぞ」

船長も船乗りも、水夫達も皆次々と甲板に出てきて、一斉に声を上げた。

湾の向こうでは、陽に照らされて白く光る砦やその尖塔に、色とりどりの旗が風にはためいていた。

サン・ファン・バウティスタ号が湾の中央に投錨すると、港で忙しく蠢（うごめ）く人々の姿が認められた。白く長く延びた岸壁には、様々な服を着た人々が集まって来ていた。

艀（はしけ）を降ろし、最初に常長一行と横沢が上陸すると、港から一斉に歓迎の号砲が轟き歓声が上がった。次にスペイン兵士を先頭に、乗組員も水夫達も次々と上陸していった。

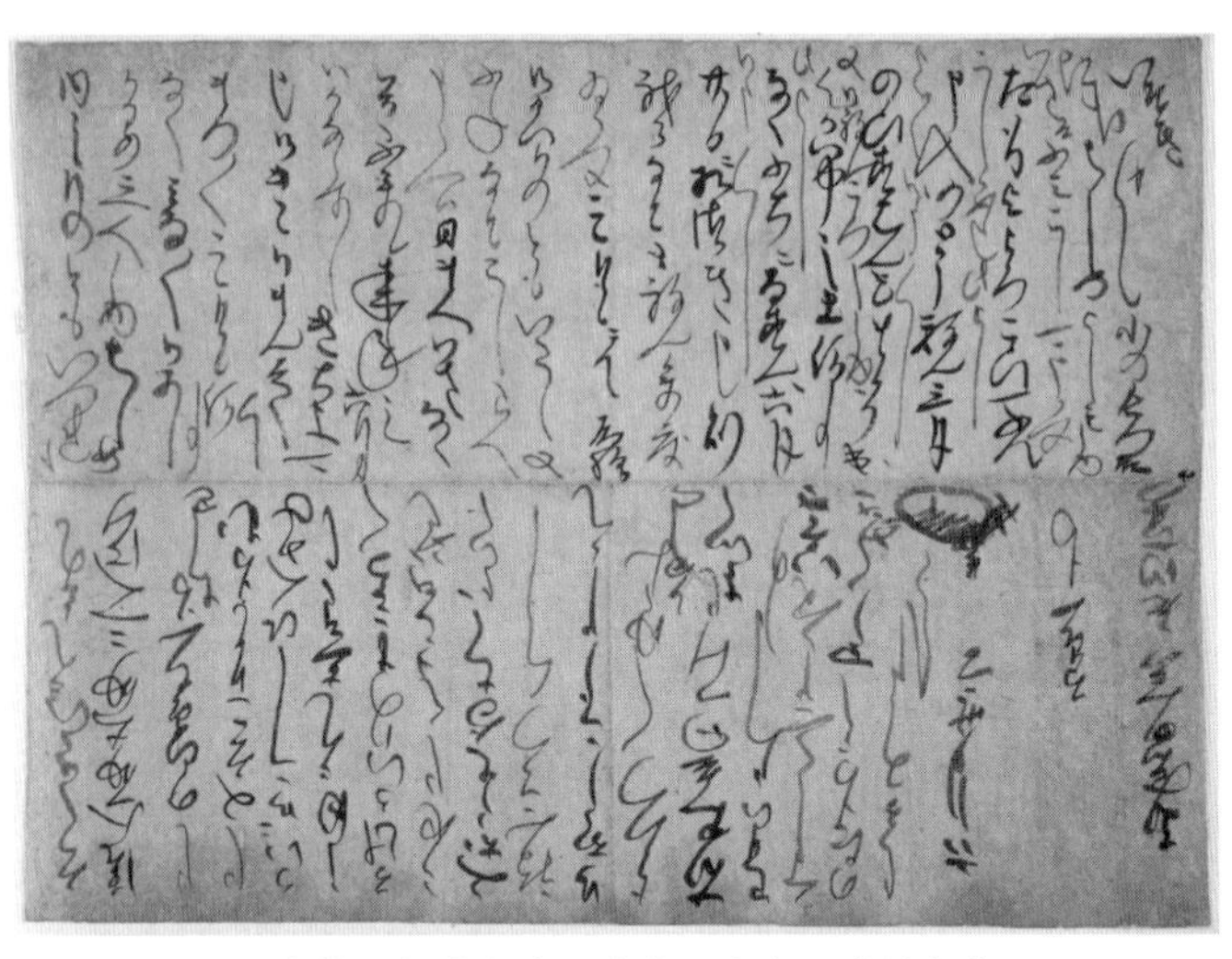

支倉勘三郎常頼宛　支倉六右衛門常長書状

兵士達は、真っすぐに砦へと向かい、一行もそのまま砦へと案内されて、大広場に集められた。

改めて新提督より歓迎の挨拶を受け、お互いに長い航海の労を労（ねぎら）ったあとで、各々、砦の部屋へ案内された。提督と常長は提督の別室に移り、いろいろと事務方の話となった。その話の途中で提督より、二日後に折よく日本に向かう便船が出るとの報告があった。

これはまた急なことと思いながら、常長は取るものも取り敢えず、急いで留守宅の長男勘三郎宛の手紙を託したのであった。

今日、その手紙が、唯一常長自筆の記録となって残っている。

手紙の一部を抜粋してみると、

『当年三月、のびすぱんをまかり出候て、海中の上何事もなく、無事にるすんへ六月二十日に相つき申候。すなわち我らも当年参りたく存じ候へども、ここもとにて殿様御買物どもいたし、又、船などこしらえ申候へば、日まえ御ざなく候て参らず候。来年の六月は、必ず必ず帰朝申すべく候…』と、毛筆で走り書きされたもので、

綴られた文面を意訳すると、

『元和四年（一六一八年）三月、メキシコを出航し、六月二十日に無事フィリッピンに着いた。我々も年内には帰国したいと思うが、ここで殿様への買い物をし、また、船の修理などせねばならず、日数が足らずにそれはかなわない。来年の六月には、必ず必ず帰朝したいと思う』という内容である。

また、一緒に来た足軽の三人衆や、身内の者が息災であることを述べ、家僕の清八、一助、大助の三人はメキシコで逃げてしまった事、それから残してきた家族や親類にも思いを寄せ、何分宜しく伝えて欲しいと綴られている。

しかし、本国では、幕府による禁教令がいよいよ厳しくなってきているようで、帰国までまさか更に二年の歳月が過ぎて行こうとは、一行の誰もが思わなかった。

太平洋を二度も往復した船は、さすがにあちこち傷みが激しく、ここで再び、じっくりとした補修が必要であったが、毎日、熱帯のうだるような暑さと日照りの中で、作業は遅々として進まなかった。

そうした中、新総督として赴任したアロンソ・ファハルド提督より、サン・ファン・バウティスタ号のスペイン艦隊への貸与の話が持ち上がった。

まず、ソテロ神父が提督の意向を伝えにきた。

「大使、お聞きおよびのことと思いますが近々、このマニラ湾にオランダ艦隊が大挙して襲撃して

くるという情報があります」

ソテロは続けた。

「ついては、スペイン艦隊の不足を補うため、提督より是非、貴船サン・ファン・バウティスタ号をお貸し願いたい。その為には、本船の補修費用は全てスペイン艦隊が持つという申し出がありました」

ソテロは、今の作業人員の不足の状況では、その方が良いでしょう、という口ぶりである。

更に、こう付け加えた。

「ここは一旦、スペイン人水夫を動員し、本船を次の航海に耐えられるように修繕してもらう必要があります」

常長は少し考えた後、自分の一存では決められないと、この問題を宿舎に持ち帰って、皆と相談させてもらいたい旨を伝えてもらう。

早速、皆に集まってもらい、先程の件を伝えると、

「その方が良いだろう、今の人数では人員と材料不足だ」

「貸してくれというが、わしらが船も戦闘に参加するのか」と、心配する者や、

「戦闘が終わったら、本当に船を返してくれるのか」など、いろいろ意見が出て、結局、結論が出なかった。

しかも、最も肝心なマニラで受け取るはずになっている、スペイン国王からの政宗宛ての返書も、

未だ届いてはいなかった。

この国王の返書次第によっては、貿易交渉が成功するか失敗するか、常長の南蛮派遣の意義が問われるのであった。

常長は、今や遅しと待っている、短気で癇の強い隻眼の政宗の顔を思い浮かべた。

いずれもう少しの辛抱だと、常長は漠然とした先行きに、かすかな希望を抱くのであった。

フィリッピン近海ではイギリス、オランダ船隊による海賊行為の横行がしきりに伝えられた。

そして、近々、オランダ船隊が、このマニラの基地を襲撃するという観測が現実味を帯びてきていた。

そんな風評の中で、ファハルド提督より、サン・ファン・バウティスタ号の補修費用は、全てスペイン本国が負担することに決定したと一行に伝達された。並行して、本船のスペイン艦隊への貸与の話が半ば強制的に進められた。

何度か提督との用談があったあと、サン・ファン・バウティスタ号は夏の終わるある日の黎明、軍事訓練という名のもとに、スペイン艦隊に編入されて静かにマニラ湾を出航していった。

しかし、程なく敵艦隊に遭遇後、ルソン海峡沖で忽然と消えてしまったと言われ、その行方は杳として知れず、軍の海事方に問い合わせても連絡は途絶えたままで、消息は定かではなかった。

一方、ソテロはマニラに到着すると、精力的に活動し始めた。同僚のラルエール等と共に、ローマ教皇から頂いた特別委員の称号を利用して、当地のグレゴリオ管区評議会を招集し、半ば強権的にソテロが提出した要望書や協定書を承認させた。

その結果、マニラのグレゴリオ管区から遣外日本管区を独立させ、また、日本人町デイラオのフランシスコ・デル・モンテ修道院を、従来の管区から強制的に譲り受け、同所に日本人用のセミナリオ（神学校）を開いて、自らを管轄区の司教として認めさせようとしていた。

次々と行われるソテロの強権的行動は、当然、現地の修道会の司祭たちの猛反発を招いた。彼らはスペイン国王に向けて、ソテロを早速メキシコに召還すること、ソテロの日本渡航は却って日本の禁教を強めるだけで、是非とも取り止めて頂きたい、という嘆願書を発信した。ソテロのマニラにおける立場も微妙になってきていた。

一方宿舎ではサン・ファン・バウティスタ号が、突然マニラ湾に消えてから、連日のように、「常長殿、我らの黒船はいったいどうしたのじゃ」と、横沢船長はじめ、船員や水夫達が、常長に問いかけるのだが、常長とて答える術はなかった。ソテロに問い合わせても、要領を得なかった。こうして、常長達の帰国の希望は、ますます遠のいていった。

常長にとって一縷の望みは、殿が必ずや「迎船」を送ってくれるという漠然とした思いだけであった。

元和四年（一六一八年）も暮れようとするある日の夕方、政宗から常長に一通の早飛脚が届いた（現在、この飛脚が本当に届いたかどうかは不明であるが、筆者は届いたとみている）。

常長一行がマニラに到着し、急いで息子勘三郎に手紙を出した折、一緒に政宗宛てのソテロの書簡や贈り物を預かったディエゴ神父は、長崎に着くと、同地に潜伏していたガルペス神父に託し、一行のフィリッピン到着を政宗に伝たえたのであった。

報告を受けた政宗は、早速、幕府の船手奉行向井忠勝に宛て、サン・ファン・バウティスタ号が無事、フィリッピンに到着したこと、また、幕府派遣の船頭は残念ながら死去したことなどを報告している。

さらに様子を見るためと称し、自分はフィリッピンに早飛脚を差し向ける旨を伝えていた。政宗は政宗で、この時点では色々と手を尽くしていたのだった。

この手紙は、現在、見つかってはいないが、内容は恐らく、日本国のキリスト教禁教の現況を伝え、帰国は当方より沙汰あるまで少し待てというものであったろうか。

あるいは、用心深く手紙の証拠を残さぬために、口頭で直接飛脚に意を含ませたのかもしれない。

常長達の帰国は、さらに一年余を待たねばならなかった。

また、フィリッピンで受け取ることになっていた、ローマ教皇とスペイン国王からの返書もまだ届いてはいなかった。

その返書の件は、全てソテロの管轄の内にあった。出来得ればソテロと一緒に帰国して、直接政宗に手渡し、南蛮派遣の報告をすることが常長の願いであったが。

ここで、もう一人の主人公ソテロに少し触れておきたい。

ソテロというのは仙台領月浦出航以来、いつも常長の側にいて、外交と通商の通詞として活躍し、遥かローマまで常長一行を案内した、フランシスコ会派のやり手の宣教師であった。

地元スペインの名門サマランカ大学で医学、神学、法学を学んだ彼は、在学中に、異教徒の改宗に一身を捧げようと決心するや、二十代半ばには、日本での布教を己の一生の目標と定め、宣教師一行に加わって故郷を後にしたのだった。

その後、メキシコを経てマニラに渡ると、僅か数ヶ月で日本語をマスターしたという秀才であった。

身体全体痩せてはいるが、知恵がその頭蓋に一杯詰まったような大きな頭は、大きく禿げあがり、頬髭が顔の周りを覆って顎鬚（あごひげ）に連なり、広い額の顔の奥に収まった、大きな鳩のような目は青く澄んで、彼の話を聞く人々の心を引き付け、これと狙った相手は見逃さなかったという。ソテロは、この時四十三歳、常長より四つ下である。


一行の毎日は、熱帯のうだるような暑さの中で、各々に、日々の生活を送らざるを得なかった。修道院にて信仰生活を深める者もあれば、ある者はいつ帰れるか当てのない中で、帰国後の身の処し方に心を砕いていた。

こうして、一年の月日はたちまちのうちに過ぎ去った。その間、メキシコから運んだ物品の関税交渉や、あるいはメキシコ副王が大使に許可した一万二千ペソ、横沢への八千ペソの使い道などにも心を砕いたりしていた。

そんな折、ようやく幕府の許可状を受けた御朱印船が、日本に向かうという知らせがもたらされた。

マニラに着岸してから、既に二年の歳月が巡ろうとしていた。

「帰れるぞ」という水夫達の叫ぶ声が港から常長の宿舎に響いた。船員達は皆、宿舎から飛び出してきて、歓声を上げげた。常長は、宿舎から外を仰ぎ、日焼けした顔をゆがめ、大きな息を付いた。

便船にて長崎へ

日本に向かう御朱印状（幕府許可状）を持参した便船がマニラ湾を出航したのは、元和六年（一六二〇年）の六月末であった。

一緒に乗船したのは、日本人町デイラオのサン・フランシスコ修道院で学んでいたホアン宮崎神父と黒川市之丞、黒川六右衛門、松尾某等であった。

しかし、ソテロは一緒に乗船できなかった。

「ソテロを日本に渡航させれば、かえって日本における迫害を助長します」と、当地の管区評議員や代理人たちによって極力反対された。

ソテロは血相を変え、

「何を言うか、私には、ローマ教皇とスペイン国王から託された贈り物と返書を、日本の国王に届ける義務がある」と、いつもの冷めた態度と違いローマ教皇の権威をもって必死に訴えた。

しかし、ソテロの一連の行動は、フランシスコ会からも公然と批判され、結局、彼の日本渡航は、力ずくで阻止された。

　そして、ソテロは新たに日本遣外区長として赴任してきたフランシスコ・ヒメーネスによって罷免される。


　常長一行が同年七月、八年ぶりに日本の長崎に着いてみると、この地は噂に違わず、幕府による邪宗排斥の嵐が激しさを増していて、切支丹追放の取り締まりが一層厳しくなっていた。

　しかし、あらかじめ政宗より、幕府年寄土井利勝に常長帰国の旨の書状が届けられていたのであろう、自分達はいっさい基督教には係わりないという事を述べただけで、難しい調べも無く上陸を許可された。

　常長と横沢は、このことを予め予想し、他にも塁が及ばぬように、長崎奉行や幕府への献上品も用意していたのであった。

　現在、多くの切支丹関係品目を見ることが出来るのは、この時の常長達の処置が大きな要因になっている。ただ、この時に、数人の切支丹も一緒に上陸し、監視の目の届かない長崎の山間に隠れ住んだと伝わっている。（注2）

　次に、この荷物（切支丹文物）を如何にして仙台まで運んで行くかということが問題であった。幕府の警戒の目は各所に光っていた。

横沢は、とりあえずこの御朱印を掲げた便船で帰藩の許可をもらい受け、先ずは浦賀を目指すことであると進言した。その後は、そのまま、江戸から東回りで仙台へ向かう海路が一番安全でありましょうと。

なる程と常長は感心し、航行は全て横沢に任せた。

……それから数日後、一行を乗せた便船が房総沖を過ぎ、常陸、磐城と海岸伝いに航行し、塩竈を左に見て、緑に覆われた松島の島影を望んだ時の船員達の感激はひとしおであった。

湾内の波も穏やかで、絵のような島が青い海に点々と浮かんでいる。八年ぶりに見る松島の島々であった。

ローマまで一緒に行った仲間が、次々と常長の周りに駆け寄って来る。常長も甲板に立って、通過する島々を眺めていた。

「ようやくわが故郷に戻って来たか」

常長も、この男にしては珍しいことであったが、次から次へと沸いてくるものを抑えることは出来なかった。

何処からともなく、誰ということでもなく、大きなため息にも似た感激の声が挙がった。

しかし、まだこの地で上陸することは、甚（はなは）だ危険であった。幕府の隠密の目がどこに光っているか知れなかったのだ。

漸く月浦に着岸し、一行が帰藩してみると、ホッと安堵するのもつかの間、既に仙台藩でも禁教令が発せられて、要衝である街道の入り口や芭蕉の辻、北目町の角、あるいは大橋のたもと等の主要な高札場に、切支丹禁制のお触れが墨痕鮮やかに高々と掲げられ、切支丹狩りが始まっていることを伝えていた。

告

一、天下の法度のため、領内の全ての基督教を禁止する

二、切支丹、あるいは信じている者を見つけた場合、代官所に報告すれば、報奨金を取らすべし
　棄教しない者は、知行を取り上げ追放。町民、農民、その他の者は死刑

三、基督教の説教者、あるいは伝える者は領内から出てゆくこと。それが出来なく苦痛と思う者は
　信心を変えること

高札の内容はざっと以上のようなものである。

ローマを出てから、再びスペインへ戻り、更に、大西洋、太平洋を越えて、漸くの思いで八年ぶりに故郷へ帰ってみれば、既に、仙台藩にも禁教令のお触れが出た後であった。否、彼等の帰国に合わせて、キリスト教禁教令が出されたのである。

街道の入り口に高く掲げられた高札を見て、常長はしばらくの間、絶句した。己の眼で確認し、目の前が暗くなる思いであった。

ともあれ、常長は、今や遅しと待っているに違いない主君政宗へ帰朝報告をせねばならない。

帰朝してからこの十日、常長は毎朝明け六つ（午前六時頃）には黒川の屋敷を出て、お城の高い石垣を見ながら、青い樹々に挟まれた坂道を登城していた。

途中、すれ違う藩士たちの反応は、いずれも遠慮がちであった。まだ藩の状況が良くつかめない常長にとって、周りのもの全てが不思議な回り燈籠のように思われた。

（私の留守のこの八年の間に、この国で、何かが変わったというのであろうか）

薄く閉じた常長の瞼に、雑然としたマニラの町の風景が浮かんでくる。あの南洋の地で虚しく二年余りの月日を過ごしたのだ。熱帯の焼けるような陽差しが、頭上より激しく照りつけてくる中、ただひたすら殿からの帰国の指示を待っていた。

マニラ湾には、バシック川が奥地から泥を含んだ支流を集め、泥濁した大河となって注いでいた。砂州の岸には背の高いヤシの木が幾本となく立ち並んでいた。河口は、泥色の煉瓦で出来た城壁に囲まれ、主に、本国から入植したスペイン人が多く住む町になっていた。

スペイン帝国はここを要塞（イントラムロス）として、オランダやイギリスなどの敵襲に備えていた。

城壁のすぐ北側を大きく蛇行して流れているのがバシック川で、城壁の外側からマニラ湾一帯にかけての地区が現地人の居住区となっていた。

そこには現地人や裸になって遊ぶ子ども達、川で洗濯する女達が不衛生な雑踏の中で暮らし、マニラで交易する明人や琉球からの商人達も集まり、照りつける太陽の下で、商売や賭け事などに明

当時のマニラの市街（マニラの古地図より）

け暮れ雑然と暮らしていた。

この界隈の近くに、幕府より追放された切支丹侍内藤如安が開いたとされる日本人町、サンミゲルやディラオなどがあり、幕府の朱印船貿易の拠点となっていた。

当時、この町には二千人以上もの日本人が住んでおり、長崎や京都、堺の豪商達が、其々(それぞれ)生糸や絹織物を輸入しており、日本からは主に銀や銅を輸出していた。

無論、年々厳しくなる日本の切支丹弾圧から逃れてきた人々も多く住んでいた。追放された高山右近や内藤如安などを慕って附いてきた人達であった。

町にはフランシスコ会の修道院が建ち、修道士達が行き交い、ミサや洗礼の儀式も行われ、この町で暮らす人々の信仰の支えとなっていた。

常長達がマニラに着いた時には、既に高山右近は亡くなっていたが、秀吉によって処刑された二十六聖人の一人、サン・ペドロ・バウティスタが開いたと云われるデル・モンテ修道院が、バシック川の支流を遡った処に建っており、ソテロの案内で、常長達は、この近くで暮らしていたのである。

（注1）「月の浦」の真実（サン・ファン・バウティスタ号出帆港）より
定説の「月浦」（石巻市牡鹿半島）の所在地は、実際は「遠島（としま）月浦」（現雄勝港）であった。現地に行ってみるとすぐわかるが、港の水深、人員、機材置き場、五百トンもの大型船を造る為のヤードなどの問題を考慮しても、現「月浦」説には無理があり、ありえない。又、隠れキリシタン上陸の痕跡を隠す為に、故意に書き換えられた可能性がある。

「検証―伊達の黒船」須藤光興著（仙台宝文堂）『「つきのうら」の真実』遠藤光行著（仙台蕃山房）

（注2）長崎潜伏キリシタン
長崎には慶長遣欧使節の子孫を称する人達が住んでいる。支倉常長の随員だった黒川市之丞、黒川六右衛門、松尾大源の三人は、キリシタンの迫害が仙台藩でも始まったことを知り、監視の目の届きにくい長崎の山あいに隠れ住んだと伝わる（中略）。隠れ住む場所を三ツ山に求めたという。三ツ山はキリシタンの里であるから、潜伏信徒の手引きで格好の地を見つけ、隠れ住んだのであろう。

『潮路はるかに』高見三明大司教談（河北新報社編）

第二章　迎船サン・ファン・バウティスタ号

迎船サン・ファン・バウティスタ号

ここで、物語は横沢が支倉一行を迎えに往く第二次航海の為、浦賀を出航する半年前に遡ることになる。

仙台城の大広間、孔雀の間には、重臣達が勢揃いし、一段高くなった上段鳳凰の間では政宗が家臣達を前に、支倉一行が無事メキシコに到着した事と、更に、ソテロと共にメキシコから大西洋を越えて、スペインに向かう旨を告げていた。

この情報は、すでにサン・ファン・バウティスタ号が第一回目の航海を終えて帰国した、政宗の家臣等により報告されていた。

迎船の要請は、彼ら一行が、メキシコ大陸を横断し、大西洋を越えてスペインに渡り、ローマへ向かう途中、スペイン帝国の首都マドリードから発信されたものであった。

この要請は、一行が越えていった逆のコースを辿り、仙台の政宗の許に届けられたのである。四百年前の、この時代の情報伝達の確かさに驚く他はない。

政宗は、重臣達を前に声を弾ませた。

「自今以後は、毎年、ノビスパニア（メキシコ）へ我が船を送り、彼の国々等と通商することに相成ろう」

そう言うと、末席に控えていた横沢将監を近く呼び寄せ、此度（こたび）の迎船の船長に指名した。

横沢は三十半ばを少し過ぎた年頃で、常に政宗の側に仕え、政宗の厚い信頼を勝ち得ていた。まだ青年の面影を角ばった面貌に残していたが、役者のような容貌に似ず、度胸もあり、知略も据わっていた。

政宗は、帝座より横沢に早速準備にかかるように指示した。

「既に、幕府の船手奉行向井忠勝には、お主を補佐する船頭を送るように連絡は取ってある。早速、第二次航海の積荷と人員を検討せよ」

横沢は感激し、両手を付き平伏した。

この時点での政宗は、藩内でのキリスト教禁教という意識はあまり強くなく、むしろ、これから南蛮国と積極的に貿易を起こし、仙台藩を西国大名などのどの藩よりも、豊かにしようとする意欲に溢れていた。

「後で、メキシコ副王へ手渡す、儂からの手紙を書いておく」

政宗はそう言うと、厳しい表情で立ち上がり大襖の奥に消えた。

時は、慶長の大津波が仙台領の海浜を襲ってから、既に五年の月日が流れていたが、復興は遅々として進んでいなかった。

政宗は、この苦境を切り抜けるには、何としても、自力でこの太平洋航路を手に入れ、藩独自の南蛮貿易を開発し、幕府や西国大名をも凌ぐ、実力と富を手に入れねばと熱望していた。

この迎船を送る時に、一緒に乗船していった者達には、幕府から遣わされた船頭数名と、それに商人と思われる皆川与五郎、堺六郎などが記録に残っている。

一方、南蛮人では、先の遣欧使節の答礼として来日していたスペイン国王使節サンタ・カタリーナ神父、それに幕府の禁教令で小伝馬町の牢に捕えられていたディエゴ・デ・サン・フランシスコ神父などがいる。彼は今回、幕府の意向で解放された。

こうして、政宗の夢を乗せた第二次サン・ファン・バウティスタ号は元和二年（一六一六年）八月、再び、北米大陸を目指して浦賀を出航した。

しかし、浦賀を出帆して間もなく、運悪くも太平洋沖で、激浪と風波の大時化（おおしけ）に遭遇してしまう（今でいう台風である）。

前日まで、青く晴れ渡っていた南の空から、次第に暗雲が広がってきたと見るや、やがて、耳を弄するような雷雨となって船体に襲いかかってきた。

サン・ファン・バウティスタ号は、なす術もなく一晩中、恐怖と孤独と暗黒の世界にひきまわされた。

やがて、暗黒の夜が東の空から白々と明けてくると、前夜のことが嘘のように雲間から太陽がのぞき、海とも空とも区別のつかない、青い空間に、船は幽霊船のように、ただ、蒼黒い潮の流れにあてもなく漂っていた。

第二次航海は、この最初の嵐の時に、多くの死傷者と行方不明者を出したのであった。普段は、決して弱気など見せたことの無い剛毅な横沢将監も、この先、果たして到着出来るのかと、暗澹(あんたん)たる気持ちに襲われた。

船は、この後も、目的地アカプルコに着くまでに、度々大時化と暴風に襲われる。ある記録では、四十回以上も嵐に会い、到着までの五ヶ月の間に、多くの乗組員が大海の藻屑となって消えていったとある。

食料も底を尽き始め、水もあと僅かに残っているだけで、今、どこに向かっているのか…生きて本当にアカプルコに着けるのか。

船上では、乗組員同士の間に、日本人とか南蛮人とかを問わず、陰湿な疑心暗鬼が生まれていた。気が狂い大きな声を上げながら海へ飛び込む者が続出した。

その中で、一人横沢将監だけは、死ぬる奴は勝手に死ね、勝手にほざけ、儂は、必ず生き抜いてアカプルコに着いてやるぞと、角張った顔に虎のような眼をぎらつかせながら、虚仮(こけ)にも似た執念を燃やして、大海の彼方を見つめていた。

横沢の船上の姿と言えば、浦賀出港の時点ではさっぱりと剃られていた青い月代(さかやき)も伸び放題で、ぼさぼさになった髪を後ろに束ねて、ただ麻ひもで無造作に縛り上げているだけであった。

日焼けした顔の真ん中に、ピンと伸びた鼻髭と、腰に差した脇差一丁だけが、彼が船長と分かる印であった。

アカプルコ入港

来る日も来る日も同じような航海が続いた。水平線も、船の周りの四海も区別がつかず、眺めていると、狂人でなくとも思わずそこへ吸い込まれそうな退屈な蒼い海だけが続く、気の遠くなるような航海が四ヶ月にもなろうとした頃であった。

はるか海面の彼方に、ようやく島らしい薄い影が見えたのは、元和三年（一六一七年）の年も明けて数日経った頃であった。いつもと変わらぬ海の向こうに薄く細長い島影が見えていた。すると、突然、

「陸だっ」

マストに昇っていた見張りの船員が声をからし、何度も大声で叫んだ。その声は、船内中に伝わり、時鐘（じしょう）が激しく打たれた。

乗組員も水夫達も一斉に甲板に集まって来ると、甲板の手すりに寄りかかり、皆、足を踏みならして一斉に歓声をあげた。

船内中に歓喜の声が響き渡った。青い地平線の向こうに影のような薄い線が見えている。

「島だーっ、島だーっ、島が見えるぞー」

しばらくの間、船内にどよめきが続いた。この何日もの間、たった一度も島影らしいものに出会うことなく、ひたすら蒼い海原を航行してきたのであった。

その間、眼に入るものはと云えば、黒い油をまいたような海の色か、あるいは嵐の時に、大きなうねりとなって襲ってくる白濁した海の色であった。

船が少しずつ島影に近づいてゆくと、砂浜には椰子の木々が延々と切れ目なく続き、右手の地平線の果てに消えていた。陽の光を受けて、白波がゆっくりと浜に寄せている。

白い波の打ち寄せる浜のむこうには、赤茶けた山が続いていた。

すると望遠鏡を覗いていた見張りのスペイン人の水夫が大声で叫んだ。

「船長、ここは間違いなく新大陸の海岸です。我々はやっと大陸に着きました」

周りに大きな歓声が起こった。遠くまで連続して続く山並みの姿は、まさしく新大陸の証であった。

傍にいた横沢も望遠鏡を覗き、思わずうなり声を上げた。

横沢は、早速、船長室に戻り地図を広げてみると、なるほど、羅針盤の針は新大陸メンドシノ岬の遥か南方を指していた。横沢は食い入るように地図をながめた。

（本船が南に流されたのは、我々にとっては、却って好都合じゃ）

横沢の身体に、ふつふつと力が漲（みなぎ）ってきた。

この陸地に沿ってどんどん南に進路を進めて行けば、目的のアカプルコの港につくはずであった。

元和三年（一六一七年）一月末、迎船サン・ファン・バウティスタ号は浦賀出航から五ヶ月余もかかりアカプルコ港に到着した。その時の記録や伝えによれば、船は主帆柱と後帆柱が折れた状態で、少し左舷に傾いたまま、帆はあちこち破れて難破船のような姿で入港してきたという。

船倉の排水も上手く働かず、溜まった浸水のために船内は傷み、船室の棚という棚にはカビが生え、飲み水は腐り、食料はほとんど底を付いていた。

また、度重なる嵐との遭遇により、メキシコと第一回目の貿易を開始するための多くの荷物が失われてしまっていた。

この航海では、死亡した乗組員は百人を超え、生きている者でさえ甲板に横たわる死者と区別がつかなかったという。

主君政宗に引見

朝四つ（午前十時過ぎ）青葉城本丸、大広間の一角。

両手を組んで正座し、熨斗目（のしめ）半袴に身をつつんだ常長が、主君との引見を今かと待ちながら、ぼんやりと御裏林（おんばやし）から聞こえてくる蝉の声に耳を傾けていると、突然、奥の方から甲高い声で、

「支倉六右衛門常長殿、どうぞ、こちらへお通りくださぁーい」と、控えの間の襖を開けて小姓の声が響いた。

常長は、一息大きく息を吸い込むと、軽く袴をさばき、ゆっくりと身体を起こして大きく目を開いた。

あれから数えて、今日でちょうど十日目であった。

一目(ひとめ)四百畳もあろうかと思われる青畳の敷き詰められた部屋を脇に見て、長廊下を小姓の後からついて行く。

各部屋を仕切る漆塗りの黒枠の襖には、随所に桃山様式を伝える豪華絢爛な金地に艶やかな蒔絵が施されており、部屋の端から端まで、無垢の檜に見事な菊唐草や牡丹の文様が彫られている紅葉の間の欄間をくぐり抜けると、檜の間で控えさせられた。

「支倉六右衛門常長殿、ご到着」

小姓の声が常長の到着を知らせる。

すると檜の間と孔雀の間の部屋を仕切る、美麗な襖が次々と開け放たれていく。襖がすっかり放たれると、奥の上段の間には金地に鳳凰の屏風を背にした三引紋に直垂(ひたたれ)姿の主君政宗が着座し、一段下がった孔雀の間には正装に身を包んだ伊達一門、一家、一族の主だった者が神妙に控え、続いて奉行の石母田大膳、茂庭周防、奥山大学などの主たる家臣達がゾロリと向き合って居並んでいた。

常長は一旦平伏し、それから静かに頭を上げると瞼を開いた。眼の前に広がる景色は、過ぐる八年前、常長がメキシコへ出発に当たり主君政宗より謁を賜った時と同じであった。

政宗の背後には、やはり四曲一双の大屏風に、濃彩で豪華な鳳凰が舞い遊ぶ図が画かれてあった。

（この部屋の様子は、あれから何一つも変わっていない）

それから、おもむろに、常長は上段の間の方にわずかに視線をあげた。そこには床の間を背にした凛々しい主君政宗の姿があった。

この八年もの間、来る日も来る日も思い描いていた主君政宗の姿が、今はっきりと上段の向こうに認められた。

「殿っ、お久しゅうっ」と、危うく叫びたくなるのを常長は必死に、喉元で押し殺した。

しかし何かが違うと、常長は素早く自分に問いかけた。

今、眼の前の豪華な床の間を背に座っている政宗の表情には、若い頃より親しんだ殿とは全く違う別の物が漂っていた。

言わば大きな獣が、どこか底意地悪く小動物でも弄（もてあそ）ぶような、歪（ゆが）んだ影があるように常長の眼に映った。

その影は決して去る八年前にサン・ファン・バウティスタ号を送り出した時に見せた、豪快で希望に満ち溢れた殿の顔色ではなかった。

（今、自分の眼の前におられる方が、儂がこの八年間、片時の間も忘れずに、追い続けてきた主君の姿か）

一瞬常長は、過ぎ去った時の経過に戸惑った。頭の中で素早く自分の記憶を辿った。

（この邂逅（かいこう）のためにこそ、儂は生きてきたのではなかったか）

常長の記憶は頭の中でくるくると回った。

すると突然、

「六右衛門、長らく大儀であった」と、少し癇のある甲高い声が大広間に伝わった。

それは紛れもない主君政宗の声であった。

常長は、ついその声に身体が反応し、無意識に両手をついて平伏した。八年ぶりに聞く、政宗の声であった。

「長い間、ご苦労であったぞ」

高く繰り返されたその声音は、しかし、以前の響きとどこか違う、平板で乾いた声のように思われた。

再び、政宗は常長に呼びかけた。

「六右衛門、苦しゅうない。もそっと近こう寄れぇ」

常長は一層身を低くして、平伏したまま少し膝を進めると、「大分痩せたのう」と、上段から政宗の語りかけるような声が届いた。

しかし、その声はどこか辞令的な臭いがした。

平伏している常長の両頬は、長い間潮風に晒されてげっそりと削げ、深く皺の刻まれた顎も鏝(こて)で焼き付けられた様に黒光りし、眼はくぼみ、頬骨だけが目立って角張っていた。

真っ黒く陽に焼けた首を支えている肩は大きく左右に張って、両手を前に伏せっている姿は、別人が、そこに蹲(うずくま)っているような感じさえしていた。

居並ぶ重臣たちも、常長の顔を見て、去る八年前、月浦から元気に出かけて行った姿と、一変した人相におどろいている。

常長にすれば、あの時とは何も変わりはしなかったが、強いて変わったものと云えば、真っ黒く陽焼けした顔の中に、鋭く黒光りしている二つの眼であったろう。

確かに、その鷹の様な二つの眼は、この八年余の歳月の間に、実に多くのものを、この国以外に多様な人々が住んでいる世界というものを見てきていた。

常長は、僅かに頭を上げると、自分が過ごしてきた歳月の経過に一瞬、戸惑った。

常長は自問した。

（この人達が、儂が再び会いたいと望んだ、望郷の人達であったのだろうか——。いうなれば、儂は一人の浦島であろうか……）

常長の頭上に、再び政宗の声が響いた。

「そち達が南蛮に出かけているこの八年の間に、世は大きく変わったのじゃ」

常長はじっと平伏して聞いている。

政宗は、脇息を引き寄せ、ゆっくりと続けた。

「そち達が南蛮国に出かけていた間に、ご公儀は一段と切支丹を厳しく取り締まるようになった」

政宗は諭すように続けた。

「しばらくは、わしも見て見ぬふりをしてきたが、今となっては、もう、御公儀に知らぬ、存ぜぬでは、通せぬのじゃて」

常長は、次の言葉を待った。

政宗は常長を見据えたまま、やおら言葉を継いだ。

「そちも既に街道の高札場で見たであろうが、我が仙台領でも、自今以後、基督教は厳禁と相成った」と、最期の言葉を、力を込めて言い放った。

常長は、政宗の音声に圧倒され、畳に両手をついた姿勢のまま、再び平伏した。

政宗の声が続いた。

「ところで、そこに居る横沢の話によれば、そちは誰よりも熱心な基督教徒であるということだが、それは今も誠か」

政宗は探るような目つきで常長を見つめた。常長は平伏し、じっと無言のままである。

政宗はさらに言葉を継いだ。

「毎朝、毎夕、神（デウス）に祈ることを欠かしたことは無いそうだが」

政宗の声が少し甲高く響いてくる。常長は何も答えず、同じ姿勢のままで平伏している。

少しおいて政宗は、脇息にゆっくりと肘を凭（もた）せると、

「横沢が儂に証言してくれたことだが、お主は此度（こたび）の航海中、荒れ狂う嵐の日でも、また、周りが暗黒に覆われる凪（なぎ）の夕べでも、一日たりとも神（デウス）への祈りは欠かしたことが無かったそうだが」と、

粘りつくように問いかけた。

　常長はやはり無言のままであった。

「そちを迎えにやった横沢の言うことだから、間違いではあるまい」

　政宗は、持っている扇子を重臣たちの後方へ向けて指した。政宗に言われて、初めて常長は、横沢の居ることに気付いた。

　横沢は、若々しく活気に溢れ、中々きっぷの良い侍であった。横沢とは、意気投合し、フィリッピンまでの三ヶ月に亘る航海を、一緒に過ごした仲であった。

　当然、横沢は、航海中も常長が毎朝夕、神に祈りをささげるのを見ていた。

　また、横沢自身も同じくアカプルコの港街で洗礼を受け、共に航海の無事を願い神（デウス）に祈りを奉げてきたのであった。二人とも彼の地でキリスト教徒に改宗したのである。

　政宗は二人の様子を覗いながら、

「しかし、六右衛門、今も申したように、わが国、この日本国では、基督教は御法度となったのだ」

　政宗は聞き分けのない子を諭すように言った。

　そしてさらに続けた。

「儂が、いくら御公儀より、お主等を庇おうとしても、今は切支丹、基督教だけは駄目なのだ」と、先より語気を荒げて言い放ち、右手に持した金襴の扇子を力強くパチンと鳴らした。

「儂がこの十日の間、敢えてお主に会わなんだのは、決してお主が憎くて避けたのではない。直ぐにでもそちに会いたかったが、しかし、常長よ」と、語気を変えた。

それから、平常な声に戻り、列席している皆に聞こえるように、

「帰国後、すぐにお主に会ったとなれば、たちまちその知らせは、広く御公儀の知ることになる」と、政宗は列席している重臣一同を見渡した。

一同は、政宗の話にもっともだという風に頷いた。その中でも、もう一人の切支丹取締奉行、茂庭周防守だけは、細長の面に目を吊り上げ、常長の一挙手一投足を睨むように見つめていた。

仙台の南蛮帰りの一行の中には、基督教徒が潜んでいる、ということは、既に、各地に潜入している宣教師や幕府の隠密によって知れ渡っていた。

二代将軍の剣法指南の幕府直臣の柳生宗矩（むねのり）からも直々に、また江戸藩邸からも、頻りにキリスト教の件はくれぐれも控えめにという通達が何度か仙台に届いていた。

「今日、基督教は邦国、全て、ご禁制となったのだ」と、政宗は語気を強めた。

「これを大っぴらに我が藩で許せば、ご公儀への明確な反逆ととられ、そち達切支丹だけでなく、この伊達藩全体が取り潰しになるのだ」と、政宗は握っている扇子に力を込めた。

「わが藩として、一旦は切支丹を拒絶し、場合によっては査問する。さすれば御公儀の直接のお咎めは避けられるであろう」

政宗程の謀略家がそれを計算しないわけはなかった。

常長はそのままの姿勢で神妙に平伏している。

「それから世の落ち着きを見て、ゆっくりとお主の話を聞けばよい」
政宗は順々に常長に説いた。この時期、幕府による切支丹への迫害は、既に全国的に広がってお
り、仙台藩においても例外ではなくなっていた。
切支丹取締奉行石母田大膳、茂庭周防はじめ重臣一同は皆、無言のままでうなずいた。
政宗は一同の反応に満足すると、やおら常長に向かい、
「そこでお主に聞くが、それでも、お主は基督教を奉じるのか」と、一段と声を高めた。
政宗は、鋭い眼差しで、直接常長の背に浴びせるように問いかけた。政宗としては、子飼いの時
からかわいがってきた、この有能な家臣をなんとか救いたい一心であった。
常長の肩が、再び細かく震え始めた。孔雀の間は無言のまましばらく時が過ぎる。時折、御林裏
より遅蝉の声が聞こえてくる。
やがて、政宗は苦心の末、八年振りに帰ってきた功臣を労るように呼びかけた。
「六右衛門よ、まあ良いわさ。その内落ち着いて来たら、お主にもわかるであろう」と言うと、少
し声の調子を変えて、
「話は変わるが、お主の今まで辿ってきた南蛮での経過を話してみよ。実は皆、楽しみに待ってい
たぞ」
そう言うと政宗は脇息を引き寄せ、ゆっくり肘を凭せ掛けた。政宗は、常長の話次第によっては、
如何ようにも、常長を取り立てていく腹づもりであった。

「六右衛門、面（おもて）を上げい。せっかくの殿の仰せだ。腹蔵なく南蛮国のこと、殿の前で話してみよ」

石母田大膳が呼びかけた。

南蛮国のこと

ゆっくりと面を上げた常長は、しばらく一同を見渡した。

石母田大膳のすぐ側には、先の第一次船で帰国していた、先輩格の松木忠作が控えているのが認められた。ずらりと並んだ一門、一家、一族の末席にはつい先日まで一緒であった迎船の船長、横沢将監も硬い表情で控えていた。

政宗は上段の間の金襴の鳳凰図絵を背景に、ゆったりと脇息に凭（もた）れて、常長の話を待っていた。

重臣達はこれから常長が何を話すかと、興味津々の様子であった。常長は、自分がどこから話すべきか少しの間思案した。

「さあ六右衛門よ、話さっしゃれ」と、石母田大膳に促され、やがて常長は視線をやや斜めに落とし話し始めた。

「我がサン・ファン・バウティスタ号が去る慶長十八年夏の終わり、仙台領月浦より出航して、日本船として初めて太平洋を越え、南蛮国メキシコのアカプルコへ入港するまでの経緯は、既に松木忠作殿よりお聴き及びのことと存じますので、ここでは控えさせていただきます」と言うと、一旦

当時のアカプルコ湾の風景（アカプルコの古地図より）

話を切り、

「これからお話し申し上げますことは、拙者が直接見たものもあれば、後で聞いた事もございます。また順序が逆になることもありましょうが、それらを繋いでお話し申し上げたいと存じます」と、やや塩枯れた声で言うと、視線をゆっくり左右に回し、一同を見渡した。一同は、いったい常長が何を話すかと、固唾をのんで常長の口元を見つめていた。

時は、慶長十八年（一六一三年）旧暦九月十五日、総勢百八十人もの乗組員を乗せたサン・ファン・バウティスタ号が仙台領月浦を出航し、幾多の困難を経て、メキシコのアカプルコ港に入港したのは、同年十二月十九日のことであった。

実に三ヶ月余に亘る航海であったが、日本船（日本人建造）として、初めて、太平洋を越えてきたのであった。

その時の様子をイタリア人の歴史家、シピオーネ・アマティは次のように記している。

「王家の紋章（伊達家の家紋）を付けた、輝くばかりに壮麗な船が、ローマ教皇聖下とカトリックのスペイン国王陛下のもとに向かう、日本からの大使たちを乗せて、アカプルコ港に姿を現した時、裁判官や港湾管理長官たちは使節の肩書に敬意を表して、できる限り手厚くもてなすことにした。船が接近して、和平の印にたくさんの号砲を鳴らすと、港でも号砲を盛んに鳴らし、大勢の火縄銃兵も同じことをし始めた。一行が上陸すると、貴族の行列やラッパ、太鼓のにぎやかな音楽が繰り広げられる中、歓迎を受け、そして王の館に宿泊し、豪華な品物を贈られ、また雄牛の祭りやその他の祝宴でもてなされた。それで大使たちとその一行は信じ難いほど極度の喜びに浸ったのである」

太平洋に面したアカプルコ港は大きな入り江になっており、フィリピン方面に向かう船舶の出入港として栄えていた。

十六世紀半ばに新大陸を制覇したスペインが、次に狙うアジア諸国に進出するための言わば、太平洋側の拠点でもあった。入り江の周りは熱帯の緑樹に囲まれた天然の要塞となっており、使節一行の誰もが初めて見るような背の高いヤシや、棕櫚（しゅろ）の樹々の傘のような葉が、南国の風を受けて気持ちよさそうにそよいでいる。

三ヶ月ぶりに陸地に降り立った日本人船員たちの喜びようは、半端ではなかった。

小寺外記などは、

「いやぁ、まだ自分の足でないようで、身体が海の上に浮いているようですわ」と、陽気に跳ねてみせた。水夫も乗組員も、久し振りに触れた陸地の感触を楽しんでいた。

常長もやれやれと安堵に胸をなでおろすと共に、自然と笑みが涌いてくるのであった。

太陽が頭上でカッと照り付ける中、港には珍客の到来を聞きつけた大勢の人々が集まって来た。人々は、それぞれ手に太鼓やラッパを持ち、歓迎の声を上げた。

その群衆の中を、日本人一行が整然と上陸していった。空には雲一つ無く、太陽が容赦なく彼らを照りつけた。

その中で、頭の上にそろってちょんまげを乗せた日本人の一行が、裾を端折って脛を出して降り立ってくる。その恰好がどさ回りの劇団の一座のようで、現地人には滑稽で珍しく映った。

並行して船からは次々と荷物が運び出されてくる。帯で背に担ぐ者、風呂敷包みを抱える者、素手で肩に担ぐ者、しきりに扇子で顔や体を扇ぐ者など、彼らの仕草の一つずつが現地人をひどく喜ばせた。

集まってきた群衆が彼等一行を遠まきにしながら進んで行く。裸足の子ども達が、珍しがって側まで寄ってきては盛んに囃した。

現地の若者達も代わる代わる近づいてきて、現地語で色々語りかけてくるが、勿論、一行は彼らが何を言っているのかわからない。

その中で、粛々と歩を進めている侍の側に、大胆にも近づいてくる若者もあった。そして、このあと最初の事件が起きた。

　群衆の中で、侍達が腰に差している長物に興味を抱いた一人の若者が、しつこく見せてくれよと、一行の列に纏わりついて来て、つい戯れに右手でそれに触ろうとした時であった。

　先ほど来うるさく思っていた侍の一人が、「無礼な」とばかりに一閃、刀を居合で抜き放ったのである。ほんの一瞬のことであった。

　件の若者の右手首が石畳にコロコロと転がり、広場に腕から鮮血が噴水のように噴き出した。周りに大きな悲鳴が上がり、興奮した群衆が一斉に日本人を取り囲んだ。異様な雰囲気が辺りを覆った。

　侍の何人かは刀を抜いて、現地人と乱闘になるような事態が発生したのである。

　小寺外記は、両手を広げて侍達を抑えた。それから、常長の従者の久蔵と茂兵衛にすぐ常長に連絡するように指示した。久蔵は驚いて荷物を投げ出し、茂兵衛と一緒に常長に報告に走った。

　騒ぎを聞いた常長は驚き、直ぐにソテロを呼びにやった。

　常長とソテロが急いで現場に戻ると、現場は取り囲んだ群衆で大騒ぎであった。まず常長は侍達を両手で抑え、それからソテロに群衆を説得してもらい、なんとかその場を一旦は収めたのであった。

　この時に活躍したのが、幕府の船手奉行向井将監が送り込んできた侍の一人で、乗船以来、常長の身辺から離れず、常に常長を監視していた節のある瀧野嘉兵衛であった。

　一行を取り囲んだ群衆を前に、盲縞の着流しのまま静かに前に出ると、他の侍達を制し、腰に深く差しこんである刀をゆっくりと抜き放った。

男の大刀はアカプルコの陽光を浴びて輝き、一旦大きく上段に構えられた後、ゆっくりと降ろされ、そのまま下段に構えるとピクッとも動かなかった。

両足を僅かにひらいたまま、微動だにしない男の姿は妖気迫るものがあった。群衆は男の気迫に押され、じりじりと後ずさっていった。

この場は、ソテロと常長の必死の取り成しで、なんとか一旦は収まったかに見えた。

しかし、この事件は現地の人達に、日本人に対する印象を良くはしなかった。港での噂はたちまち街中に広がり、ハポネス（日本人）は野蛮だ、いつも危険な刃物を腰に帯びて野蛮で好戦的だ、という噂を広めることになった。

この事件以来、無口で不気味な雰囲気を漂わせていた瀧野は常長の信任を得るようになり、いつの間にか常長の護衛となって、ローマまで附いて行くことになる。

一方、此の刃傷事件の際に、スペイン大使として派遣されたビスカイノ提督も、騒動に巻き込まれて足に負傷を負ってしまった。

サン・ファン・バウティスタ号が沖に投錨すると、彼は、今までの船中での自分への扱いの腹いせに、水夫達に命じ、船から手当たり次第に積荷を運び出すよう指示したのだった。

驚いた日本の水夫や商人達が彼等を阻止しようとして、両者の間に険悪な事態が生じた。

ビスカイノは、本来なら自分がサン・ファン・バウティスタ号の船長になって、全てを仕切って行こうと思っていたのに、自分に何の相談もなく、勝手に百四十人もの日本人を乗船させ、しかも、訳知り顔に何もかも取り仕切るソテロに憎悪さえ抱いていた。

ソテロはソテロで、アカプルコ到着以降に見られた当局の対応に少なからず不満を持っていた。当然、自分こそ政宗より信任を得て、幕府から正式に委嘱された船長だとして、船内では全権を振るった。

ソテロには万里波濤の太平洋を越え、遥か極東より大勢の信徒達をこのカトリック教国へ引き連れてきたという自負があったのだ。

ビスカイノを単なる客人として扱い、航海中は一切、余計な口出しはさせなかった。いまいましいソテロめ、船舶や航海のことなど何も知らない素人のくせにと、常々苦々しく思っていたビスカイノは、アカプルコに入港するや、早速、メキシコ副王に手紙を認（したた）め、現地の要塞司令官モンロイに注進に及んだのであった。

こうしたことが度々重なり、メキシコ当局の使節一行への対応は、次第に冷ややかなものになってきていた。

江戸幕府とスペインとの交流

時は、スペインと江戸幕府との交流が最初に始まる頃に遡る。

慶長十四年（一六〇九年）九月、前フィリッピン総督ドン・ロドリゴが帰任の為、メキシコへ帰国途中に暴風雨に遭い、上総（かずさ）国岸和田に漂着した。

　幸運にも救助されたドン・ロドリゴはその後、江戸城の二代将軍秀忠に謁し、さらに駿府に赴いて家康に拝謁することになる。

　こうして思わぬ形で幕府とスペインとの交流が進むことになった。この絶好の機会を利用して、ドン・ロドリゴは日本における宣教師の保護とスペインとの友好関係の樹立を提案、日本に勢力を伸ばしつつあるオランダ勢の方遂に関する請願書を提出した。

　幕府からの返答は、オランダ勢力の方遂を除く他は悉（ことごと）く承認され、家康は自前の船でドン・ロドリゴのメキシコ送還と、新たに鉱山技師派遣の要請を提案した。家康の腹は、メキシコとの交易と、以前より懸案であった太平洋を渡る操船技術の習得であった。

　送還する船は、英人ウイリアム・アダムス（日本名、三浦按針）に建造させた百二十トン級のもので、家康の使者として、長年日本で布教に携わっていた長老のムニョス神父と金銀関連の商人、田中勝介ら二十二人が乗り込むことになった。

　そして、この協定書の翻訳に係ったのがルイス・ソテロである。ソテロは協定の案文を伏見で作成すると、その通訳として、翌慶長十五年（一六一〇年）一月、家康に謁見が叶う。

　彼はこの協定文を幕府から受け取る際に、家康が自分をメキシコへの大使として派遣する旨の証明書を別に付け加えたのであった。

　その事を知ったドン・ロドリゴはソテロに不信を抱き、送還の最終段階で、ソテロの本国行きの排除を申し出た。

ソテロは乗船することに強い意欲を示したが、結局、もう一人のアンソロ・ムニョス神父が幕府の使者に選ばれ、ソテロは病を理由に外されたのであった。

慶長十五年（一六一〇年）八月、浦賀を出航したドン・ロドリゴ一行は順調に航海を続けて、同年十月二十七日、北米大陸カリフォルニアに到着している。そして、このドン・ロドリゴ総督送還の答礼大使として、日本行きに指名されたのが、ビスカイノ老提督であった。

彼は、海戦史上名高いアルマダ海戦の生き残りであり、この時、齢は既に六十を二つ三つ過ぎていた。

メキシコ副王はさらに、ビスカイノ提督に噂に名高い黄金の国、ジパングの沿岸の測量と金銀島の探検を命じた。

提督は慶長十六年（一六一一年）三月、メキシコ市を出発、太平洋の玄関口アカプルコ港に向かい、同年三月二十二日、田中勝介ら二十三人の日本人を再び乗船させると日本に向けて出航している。この時に、ビスカイノ等が乗船してきたのが、フランシスコ号である。

一行は、再三嵐に見舞われるも老練な船長ビスカイノの操船によって六月十日に無事、浦賀に入港している。

ビスカイノは早速、江戸城に向かい将軍秀忠に謁見を申し願い、五日後の六月二十二日に謁見が叶っている。この時にも、通訳を務めたのがソテロであった。

提督はその時のソテロの様子を「誠心誠意、通訳として役目を務める優れた通訳であった」と高く評価していたのだが…。

さて、アカプルコ港での抜刀事件のあと、日本人一行への処遇に拘わる布告が決定された。その主旨は、支倉大使とその随行者八人を除いて、他の者から全員武器を取り上げ、帰国の時まで預かるというものであった。

この司令官の通告に対し、同道していた侍達からは一斉に不満の声が上がった。支倉とソテロは必死になって、彼等の鬱憤を抑えた。

この時、一緒に彼らを説得し、抑えに回ってくれたのが、小寺外記であった。

この若者は、仙台藩が独自に南蛮国に船を派遣するという話を聞き、伝手を頼って、幕府に頼み込み一行に加えてもらった男であった。まだ三十を超えたばかりだが、背丈は五尺四寸程、丸顔にリスのような眼を持ち、頭の回転もよく、航海中も一人で甲板に出ている孤独な常長の話し相手となったりして、次第に常長のお気に入りとなっていった。

アカプルコの件は、こうして一旦は収まることになった。

しかし、一人収まらないのがビスカイノであった。日本での滞在中に、幕府用人との交渉事がくるくると変わり、家康と確約した切支丹保護の話もいつしか反故となっていた。

また、帰国船フランシスコ号が浦賀沖で座礁破損した折に、船舶補修の援助を求めても、突然手の平を返したように一切相手にされなくなり、剰え、乗組員の滞在費や食料にも事欠く始末で、とっくと家康という男の冷淡さに業を煮やしたのだ。

最初はビスカイノ提督とあれ程儂を歓待したくせに、嘘つきの日本人めと、ビスカイノは床に唾を吐き捨てるように吠えた。

この裏には、きっとあの英人アダムスの差し金があるに違いない、調子のいい奴らだと、ビスカイノは日本と日本人というものに不信をつのらせた。彼は、この鬱憤をアカプルコの司令官に、以下のように注進した。

「此の度の日本の使節は、真の使節ではありません。奥州国王伊達政宗は日本の大名の一人に過ぎず、日本国皇帝は家康という将軍です。政宗にとってキリスト教の布教はどうでもいいことなのです。彼らが欲しいのは、我等の航海術と精錬技術だけなのです」

さらに、ソテロについてもこう付け加えている。

「彼は通訳の立場を利用して、政宗にメキシコへ渡航する造船を勧めました。彼は自分の栄光のために神を利用しております。キリスト教世界にとって大変危険な人物です」と。

メキシコシティへ

アカプルコで一ヶ月余りを過ごした使節一行は、次に表敬の為、総督府のあるメキシコシティへ向かう組と、船と商品を管理するため、アカプルコに留まる組に分けられた。

当然、仙台藩士十二人は常長と行動を共にするが、上役の松木忠作は一人残り、先に帰国している。松木はイエズス会に属し、ソテロとは当初からあまりソリが合わなかったようだ。あるいは政宗から命を受け、アカプルコまでの海事報告を課せられていたのかもしれない。

首都のメキシコシティはアカプルコから北東へ四百キロ、二千メートルを超す高原の都市である。三月初旬、一行は現地人を含む先遣隊二十人と大使一行百名に分かれて出発した。この旅程は、砂礫と切り立った岩の荒野を越えて、山坂をいくつも越えて行かねばならない。馬でも約十日はかかるという。

焼けるような太陽が容赦なく照りつけるなか、一行は馬に揺られ、あるいは徒歩で列を連ね、単調な砂漠を越えてゆく。

噴出した汗がすぐに塩になって顔や首にへばりつく。遥か前方まで、目に入るものといえば、赤銅色の岩山と切り立った崖や、砂礫に密集している団扇サボテンや柱サボテンの光景だけである。

その間を曲がりくねった一本の街道が延びていた。一行が列を組んでゆっくりと登ってゆく。所々、土地が平らになると、竹や木の葉で屋根をふいただけの粗末な農家が現れる。原住民のインディオの住居である。

真っ黒く日に焼けた子ども達が低い家屋の入り口に集まってきて、珍しそうに一行を見ている。コンドルが雲一つない青空を悠々とかすめていった。

やがて、一行は山脈の途中にあるタスコの町に入った。この町は当時、世界でも有数の銀産地で、既に、政宗はこのタスコの銀の採掘技術にも高い関心を示していた。

政宗の使節派遣の一つの狙いは、実はメキシコとの通商を通じて、この精錬技術を手に入れることでもあった。

タスコでしばらく休息を取った一行は、さらに奥の高原に位置するクエルナバカの町を目指して出発する。クエルナバカはタスコとメキシコシティのほぼ中間地点にあたり、海抜千五百メートルの地点に位置している。

高原の気候は穏やかで、ここはかつて、アステカ王国の主要な町として栄えた処である。しかし、十六世紀の初め、突然スペインからの略奪者コルテス一族に滅ぼされてしまう。

コルテスはこの町を征服すると、街の真ん中に宮殿の建設に取り掛かるが、宮殿というよりはインディオの反乱から身を守るための要塞そのもので、窓や部屋はことごとく鉄格子でおおわれていた。

一行は、ひとまずこの宮殿に落ち着くことになった。

この街で一行が案内された所は、周りの建物よりひと際高い、尖塔のあるカテドラル（教会）であった。征服者と一緒にやって来た修道士達によって十六世紀に建設が始められ拡張されていったものである。

このカテドラルで一行が見たものは、使節の誰もが思いもかけなかった、日本の長崎で行われた二十六聖人の殉教の壁画であった。

教会の正面に向かって、彼らが跪く祭壇があり、入口を入ってすぐ礼拝堂の左右の壁面に、両面縦横二十畳もあろうかと思われる巨大な殉教のフレスコ画が画かれてあった。秀吉のバテレン追放令により捕えられた宣教師と信者達二十六人の処刑図である。今しも描かれたばかりのようなフレスコの色鮮やかな殉教図を見て、全員絶句する。その絵の生々しさに誰もが、暫し言葉を失い、メキシコのこんな片田舎まで、既にわが国で行われた殉教の情報が伝わっていることに驚き、慄然となった。（注3）

常長や随員達も、これから訪れるスペインやローマなど奥南蛮国への使節の一人として、前途の多難さを思わずには居られなかった。

一行がメキシコシティに着いたのは慶長十九年（一六一四年）三月二十四日である。シティはかつて、アステカ王国の首都として栄えた街であったが、ここも十六世紀初め、スペイン軍の侵略によって滅亡した。

その日はキリストの聖週間の二日目にあたっていた。聖週間とはキリスト教圏で最も重要な祝日であり、イエス・キリスト復活の直前の一週間でもある。おそらく一行が、敢えてこの日を到着に選んだのは、ソテロの計算が働いたのであろう。

通過してゆく途中の村々では、既に、日本からの使節到来の通達が届いており、道端には花束で覆われた歓迎用の門を拵え、沿道にはきらびやかな織物や毛氈を飾って、また一行を先導する騎士たちが歓迎の太鼓やラッパを吹奏して行進していった。

　シティに着くと、副王の命により、彼らはとりあえずサン・フランシスコ修道院に落ち着くことになった。

　翌日、旅の疲れもそこそこに、使節一行はソテロに案内されメキシコ総督府のあるソカロ広場へ出かけていった。この広場は街の中心に位置しており、広場の東側を占める一角に、若干三十代の副王ガァダルカサル侯が執務している総督府の宮殿が建っていた。硬い、がっしりとした石造りの宮殿は、あたかも異教徒を威圧するかの様に堂々として華麗であった。

　常長は早速ソテロを通訳に伴い、ガァダルカサル侯を表敬訪問し、恭しく政宗の親書を手渡した。

　その時の様子を、アマティは次のように記している。

「大使は自分たちに相応(ふさわ)しい行列を作って、麗々(れいれい)しく副王に拝謁しようと臨んで、その行動がよりいっそう映えるように、一行全員に揃いの服を与えた。そして、整然と馬に乗って庁舎に着き、甚だ丁重に満足をもって迎えられた。副王は一行に対し、安全で快適な旅が出来るよう便宜を図ることを約束した」

　しかし、この時、副王は使節一行に対して、儀礼以上の好意は示さなかった。メキシコにとり、フィリッピンとの交易に日本人が参入することは却って不利益になると信じていたのであり、日本人のメキシコへの直接の渡航についても大きな不安を抱いていた。

　副王はサン・ファン・バウティスタ号がアカプルコに入港してすぐに、自分が派遣したビスカイノ提督からも、次のような驚くべき書簡を受け取っていた。

「そちらに向かっている日本の使節一行の本当の目的は、決して日本でのキリスト教布教の為でも、わが国との友好関係樹立でもありません。日本の皇帝である家康も、その息子もキリスト教を禁じております故、宣教師派遣は無駄であります」

ビスカイノの忠告を重んじた副王は、早速、それらを本国へ伝えた。政宗のこの度の遣使は、当初から一人の宣教師、つまりソテロの主導によって推進されたこと、ローマ教皇とスペイン国王への遣使は単なる儀礼にすぎないこと、この遣使はキリスト教信仰と布教には何ら関係なく、彼らの目的は経済的利益を上げることに止まること等。

最後にソテロの人物について、あまり分別のある人物ではないように思われる、と付け加えていた。

一行はメキシコシティに二ヶ月ほどの滞在中に、副王府の華やかな宮殿や高い尖塔のある教会、整然と区割りされた街並みを目の当たりにして、王都の繁栄ぶりをしみじみと実感したであろう。

彼等はソテロの入信の勧めとは別に、直接「神（デウス）」の恩恵を実感することになった。教会の醸し出す荘厳さは、神父たちの説くキリストの教えと共に、また彼らの心をも捉えたのである。

この滞在中に、一行の日本人で、七十八名が次々と改宗を申し出て、サン・フランシスコ教会で洗礼を受けることになった。（注4）

常長も同じ思いに駆られ、ソテロに強く申し入れたが、大司教やフランシスコ会管区長等によってひきとめられた。

それはむしろソテロの強い意向でもあった。

「今ここで受洗するよりも、スペインに渡ってから、直接スペイン王フェリッペ三世臨席のもとで受洗する方が、一層、効果がありますよ」と、ソテロはそっと常長に耳打ちするのであった。

（注3）「クエルナパカ　二十六聖人殉孝図」
壁画は囚われた人が牛車で引き回される場面から始まる。…最後は処刑の情景だ。二十六人の体を槍が貫く。死者は十字架に縛られたまま打ち捨てられた。カテドラルの色ガラスから西日が差し込むと、殉教者の周りは血の色に染まるという。（中略）常長は、描かれて間もない色鮮やかな壁画の前に立ち尽くした。
『潮路はるかに』（河北新報社編）

（注4）常長のメキシコ市滞在中に七十八名の洗礼式と堅信式が行われた。
大使がメキシコ市に到着したのは、確かにキリスト教を実例で教示するのに非常に好都合な時期であった。というのは、聖週間の神聖なお勤めが行われる時だったので、（中略）大使の随員のうち七十八名がそれを希望した。
『伊達政宗遣欧使節記』アマテイ著（仙台市史　八）

第三章　政宗の野望

使節一行大西洋へ

メキシコシティに二ヶ月ほど滞在した後、使節一行は、ここから更に東に向かい、大西洋に面するベラクルスの港を目指し、五月八日メキシコシティを出発した。

この時に、一行はスペインへ向かう者とシティに滞在する者との二班に分かれている。

渡欧組は常長を含め三十人、後はシティで常長の帰りを待つ者とアカプルコに戻る者とに分かれた。

この間、二ヶ月に亘るシティ滞在中に、副王側より「彼は日本語が話せ、何かと役に立つ男だ」と言われ、一行に加わった者が居た。

名前をマルティネス・モンターニョといい、一行がシティに着いてからの行動を『チマルパインの日記』に残した、現地の著述家ドミンゴ・チマルパインの弟であると紹介された。

痩型で、風体は少々貧相ではあるが、日本語が達者な男で、年は三十四、五歳だという。途中から、一行の秘書兼通訳としてシティの案内役を買って出た男である。

常長もソテロも、この人物を少しも疑うことなく、現地の案内役として大変重宝がった。

結局、渡欧組の人数は、日本人二十六人、ソテロ、ヘスース、イバネスのスペイン人神父達と、それに日本から同行している歴史家ベネチア人マテイアスにモンターニョの総勢三十一人となった。

ベラクルスは大西洋への玄関口、といっても当時は小さな港町に過ぎなかったが、郊外には大西洋に開かれたスペインの要塞サン・ファン・デ・ウルーワの港があり、ここで司令官ドン・アントニオ・デ・オケンド率いるスペイン艦隊に搭乗する予定である。

メキシコシティ出発の日はキリスト昇天の祝日であった。街の中心のソカロ広場に集まって来た大勢の人々は、それぞれラッパや太鼓を持って祝福し、また石畳みの舗道に整然と居並ぶ馬上の騎士達の見送りを受けて、一行はメキシコシティを後にした。

副王があらかじめ、道中のいたる所で歓迎されるよう、指令を出していたため、途中の町々で手厚いもてなしを受けた。

忘れられないのは、プエブラの町での歓迎であった。十八日に着いたこの日はちょうど聖霊降臨祭の祝日に当たっており、町には沢山の人々が出迎えてくれ、市長は闘牛や葦笛吹きなどの催しを開いて歓迎してくれた。

プエブラから南方へ少し進んで行くと、前方に白雪を抱いたポポカテペトル山が美しく望める。更に、険しい高地を越えメキシコ湾岸を目指して山道を下ってゆくと、突然視界が開けオリサバ山が眼の前を遮るように現れてくる。そこまで行けばベラクルスの街はもう少しだ。

しかし、歩みを進めていく街道は、遠くまで一面花崗岩の白い岩と砂礫で曲がりくねり、左右の丘には点々と柱サボテンなどが立ち並ぶ荒地が続いている。岩の間に点在する平地には、トウモロコシやサトウキビの畑が広がっていた。

一行は、再びこの山を拝めることを祈らずにはいられなかった。

年配で仙台藩士の丹野久次が、常長の側に寄ってきて心配そうにささやいた。「うむっ、拙者としても」と、常長もあまり自信なさそうに答えるしかなかった。

すると、横から小寺外記が明るく答えた。

「大丈夫ですよ。我らにはソテロ殿やモンターニョ殿など、良い案内人が居りますから」

彼は、不安よりも、次々と開けてくる新しい世界に興味と期待を膨らませていた。

常長はといえば、これから訪ねるスペインやローマなどの未知の国、この先、一体どうなるかは、いずれも雲をつかむようで、まったく自信が持てなかった。

六月初め、使節一行はスペイン艦隊の司令官ドン・オケンド率いるガレー船に搭乗、メキシコ湾に臨むサン・ウルーワの港を出航した。この出帆こそ、歴史上初めて日本人が大西洋に漕ぎ出した瞬間であった。

湾を覆う空は雲一つなく、どこまでもコバルトブルーに晴れ渡り、メキシコ湾とカリブの海の色は見渡す限り碧かった。

一行を乗せた艦隊は順調に航海を続けていった。しかし、一ヶ月も経った頃、キューバ島を目前にしてハリケーンに見舞われ、七月二十三日、止むなくキューバのハバナ港に寄港する。

当時は、この島一帯もスペインの植民地で、スペイン艦隊の重要な中継地であった。近海では、領地をめぐる争奪戦が激しく、ハバナ港にはモーロ要塞が海賊船から湾口を守っていた。先日も、フランスの海賊に襲われたばかりであった。

また、この時期、キューバ一帯は猛暑の季節でもあった。上陸した侍達は余りの暑さに閉口し、昼間は外出を控えて、陽が沈んでから出かけたものだった。

ハバナで二週間ほど過ごした一行は、再びやって来たスペインの大船団に乗り換え、スペイン帝国西南岸のサン・ルーカル港を目指すことになった。この海域を単独で航海することは、自ら進んで死を望むようなもので、一旦、カリブの海に漕ぎ出せば、飢えたヒョウのように獲物を待ち構えている、イギリスやオランダの海賊船団との遭遇が考えられた。

閑話休題

さて、偶々(たまたま)この島に寄港することになった一行が、二週間のハバナ滞在中に見たものは何であっただろうか。

当時、ハバナ港は、植民地から集められたインディオや黒人達を取引する奴隷貿易の中継地でもあり、各国の奴隷商人達が集結し、多くの奴隷船で賑わっていた。

彼等が眼にしたものは、当時の日本では考えられないそれらの奴隷達の姿であった。大勢のインディオや黒人達が数珠繋ぎに鎖でつながれ、眼の前の往来を引き立てられていく。その哀れで、無力な奴隷達の姿を見た時に、常長もまた受洗した仲間達も、キリスト教が説く人々への愛とか慈しみという教えに戸惑いを禁じ得なかったにちがいない。
また、随員の中で、まだ迷って受洗していない者の中には、キリスト教に疑問を抱いた者も何人か居たのである。

スペイン帝国へ上陸

さて、ハバナを出航した船は大西洋上で何度か暴風雨に襲われながらも、ほぼ一ヶ月を費やし、十月五日頃にスペインのイベリア半島西南岸サン・ルーカル港に到着する。同港は、グアダルキビル川の河口にあり、セビリア市への入り口となっていた。

当時、セビリアはスペイン帝国と新大陸を結ぶ交易の第一都市であり、湾口には銀や香料を満載したガレオン船団がひしめき合っていた。その船団の停泊している中を、常長一行を乗せた船が静かに入港していった。

この日、天気は晴れて穏やかで、海上から陸地に向かって心地よい微風が吹き、小波(さざなみ)が立っていた。彼等が歴史上初めて、新大陸とヨーロッパに跨る大西洋を横断した最初の日本人となった瞬間であった。

サン・ルーカル港は、またスペイン無敵艦隊（アルマダ）の根拠地として、世界にその名をとどろかせていた。同地方を治めていたのは、既に、引退し老齢になったメディナ・シドニア公であった。

しかし、彼の人生の最大の不幸は世に名高い『アルマダの海戦』（一五八八年）で、無理矢理、イギリスとの決戦の総指揮を取らされたことであった。

この人事は前任者のサンタ・クルス侯の急死により、急遽決定されたもので、海上戦闘の経験のない公にとっては余りに荷が重すぎた。因みに、サンタ・クルス侯とは『レパントの海戦』（一五七一年）でオスマントルコ海軍を破り、スペインが地中海の制海権を握る基を成し遂げた将軍であり、『スペイン海軍の父』と称された人物であった。

時の王はハプスブルグ家の血筋を引くフェリッペ二世で、帝国の全盛時代を築き上げた君主であり、太平洋、大西洋を己の庭のように縦横無尽に荒らしまわり、正に大航海時代の覇者であった。フェリッペ二世は、サンタ・クルス侯の後任として、最も信頼するシドニア公に艦隊の総指揮を任せることにした。

突然の任命に、公は、海戦は経験も無く不慣れであると辞退を申し出たが許されず、やむ無く百三十艘の大艦隊を率いて宿敵イギリスに向かったのであった。

結局、この戦いは歴史的大敗北に終わり、彼は『無能、卑怯者』のレッテルを張られたまま隠棲してしまうのである。

このドーバー海峡を挟んだ海戦史上最大の『アルマダの海戦』でイギリス海軍の総指揮を任されたのが、海賊の首領として船乗りたちに最も恐れられたフランシス・ドレークである。

海賊行為は、当時、国の財政にとっても重要な資金源であり、国家により暗黙の支持を受けていた。彼は、部下と共に大西洋近海はもとより、遠く太平洋まで進出しては、目ぼしい船を襲い荒らしまわり、国家は、彼らより、略奪した銀塊や金品の一部を献上金として受け取り、国庫の歳入に充てていたのである。最大の獲物はスペインの銀船であり、彼等が植民地から搾り取ってくる財宝であった。

当初、スペインの無敵艦隊に対して、イギリスは全く勝ち目が無いと言われていたが、ドレークの神出鬼没のゲリラ戦法により、さしもの無敗を誇った無敵艦隊も大打撃を蒙り、スペイン帝国も次第に凋落が始まってゆくのである。因みに、この物語のビスカイノはこの海戦の生き残りであった。傷心のまま引退したシドニア公は、このセビリアの海の見える高台に隠棲し、ロッジ風の館を建てて余生を過ごしていた。

常長一行が訪れたのは、そんな時であった。

仙台領月浦を出帆してから、既に二年の月日が流れていた。一行が到着すると、シドニア公は東洋の果てから万里波濤を越えてきた勇敢な彼等に敬意を表し、早速、自ら馬車を仕立てて暖かく出迎えてくれた。高台の館に招かれた一行は、ここでも市民や貴族たちに手厚く歓待された。

公に導かれた一行は、館のバルコニーから賑やかなサン・ルーカルの街並みを眺めたことであろう。

眼下にはグアダルキビル川がゆったりと流れて、サン・ルーカルの湾口に注いでいる。湾には大小さまざまな帆船が停泊し、一行を運んできたガレオン船隊も帆を降ろして各々に憩うていた。

アンダルシアの大地を貫流してきた流れは、ゆったりと揺蕩(たゆた)い、停泊している船舶の船縁(ふなべり)を浸して青白く輝く大西洋にそそいでいた。

常長ならずとも、一行の胸には各々に感無量の思いがあった。

常長は、無言でバルコニーの欄干に手を置いたまま、じーっと遠くの海を見つめていた。彼の胸に去来したものは何であったろうか?

一行は、この地で一週間ほど過ごした後、セビリア市の要請によってシドニア公にわざわざ税関のあるコリア・デル・リオの村まで送られた。別れ際にシドニア公は、一行に餞(はなむけ)の言葉を贈った。

「どうぞ道中恙(つつが)なく、わが偉大なるスペイン王、父なるローマ教皇に無事、お目通りされんことをお祈りします」

常長はたまらずシドニア公に駆け寄り、老公の深く皺の刻まれた手を堅く握りしめた。随員達も、深くこの老貴族に礼を返した。

セビリア市入場

コリア・デル・リオに着いた一行は、そこから四里ほど上流のセビリア市から派遣された接待役に迎えられた。

セビリア市はフランシスコ派宣教師ソテロ神父の故郷でもあった。

ソテロは普段は誰にでも気さくで親切で、一見人懐こい鳩のような碧い眼に、誰もが気安く引き付けられるのだが、しかし、その瞳の奥には強靭な意志が宿っていた。

今こうして、遥かな東洋の果てから大勢の信徒を連れて、故郷へ帰ってきたのである。ソテロの凱旋ともいえる帰郷であった。

常長一行は市内に入場するために、出来るだけ華やかに見えるよう、随行者全員の着物を新調して準備を整えた。常長自身も、公式の行事の時にと政宗公より預かってきた、白絹の陣羽織を羽織っている。この羽織には白地に鹿や孔雀などの動物や鳥などが画かれ、袴には芒の絵が金や銀糸で縫い取られている。

常長の背丈は五尺三寸足らずのずんぐりした身体付きだが、丸顔にピンと張った口髭を蓄え、両頬を支えるように頬髭が伸びて、広い額の真ん中に、一

支倉常長像（高田力蔵模写）

見どんぐりを二つ並べたような丸い眼が油断なく前方を見つめている。準備は調えられた。

常長は、後ろを振り返り、全員に向かって声をかけた。

やがて華やかに行進は進んでいき、名門の家系に育ったソテロの帰国は、兄が市政に参与していることもあり、市長初め多くの貴族や市の委員たちに歓呼をもって迎えられた。歩みを進めていくにつれ出迎えの騎士や人波の多さに驚いた。街道を埋めた群衆は、東洋から、頭にチョンマゲを結った侍がやって来るというので、大騒ぎであった。

小寺外記はあまりの歓迎に驚きを隠せなかった。常長も予想以上の歓迎に内心心配して、ソテロの顔を窺ったが、ソテロは心配いりません、普段どおりにという表情で、常長に頷いた。わざわざ一行のために馬車が用意され、出迎えの騎士や馬の行列と共に、使節一行は粛々と進んでいった。

やがて古都ゴルドバへと遡上するグアダキビル川に架かるトリアナ橋まで来ると、一行を出迎えたセビリア市民の歓迎は頂点に達した。大きな歓声と共に、一斉にドラの音が大きく鳴り響いた。並んだ群衆の橋向こうには、瀟洒（しょうしゃ）なカテドラルや市庁舎が連なり、ヒラルダの尖塔が高く聳えている。

待ち構えていた市長サルバテイラ伯爵は、多くの貴族や議員を引き連れて整然と出向いてきた。

常長も挨拶の為、静かに馬車を降りた。とすぐに、護衛の瀧野嘉兵衛が続いて降り、腰に刀を帯したまま油断なく、常長の後ろへぴったりと付き添った。それから二人はゆっくりと進むと、常長は出迎えた市長らに丁寧に挨拶を交わした。

挨拶を終えると、常長は市長に導かれて、護衛の瀧野と共に用意された馬に乗り換え、馬上から市長へ丁重に謝辞を述べると、彼らに導かれて宿舎となるアルカサル離宮へと向かった。

離宮へと続く沿道は、出迎えた騎士や馬車の列と、東洋からの珍客を一目見ようとする見物人で埋め尽くされた。

アルカサル離宮はイスラム様式とキリスト教様式を融合させたアラベスク模様の壮麗な建築物で、十世紀初めにイスラム王によって創建され、その後、数世紀にわたって改築されながらスペイン王の離宮として利用されていた。

その時の城代はファン・ガヤルドといった。彼は、この東洋からの珍客を是非自分の処でお世話したいと、市議会に申し出たのであった。

「大使は甚だ分別ある人物で、非常に思慮深く、当市の全ての騎士、名士、聖職者達はこの上ない喜びを示して彼を訪ねて来ました」と、後に国王宛の手紙の中で述べている。

また、わざわざ使節の旅費負担にも言及し、「一行の旅費や滞在費の要求は、きわめて敬虔で正当なものである」と常長に対して賛辞を惜しまなかった。

常長は、日本国においては、わが国を表敬する使節等の滞在費用は、自国が負担する習わしでありますと、極めて控えめに申し出たのであったが、城代は常長の慎み深く、しかも気高く沈着な態度にいたく感心したのであった。

市長も、この人物の言動には分別があり謙虚で、彼等になされたことに大変感謝していると好意を寄せた。こうした常長の飾らない人となりが市議会を動かしたに違いなく、セビリアの市議会は、当市出身であるソテロへの支援という名目で、一行の滞在費も市の全額支弁が承認された。これを聞いた常長の喜びは大きかった。

既に、大半の渡航費用は、メキシコを横断し、大西洋を渡る段階で尽きていたのだ。この先の滞在費用を如何に、という眼の前の問題が常長にとって一番の心配の種であった。

お金に換えられるものは既に、金に換えて衣服や食料に消えていた。これから先、三十人分の旅費と滞在費用がなにより火急の事であった。ソテロに相談すれば、万事、私にお任せ下さいと、どこかに出かけて行き、当座の費用や宿泊所を見つけてくるのであったが。

この事一つを取っても、ソテロ無しではこの言葉の通じない異国で生きてゆくには無理があったろう。宗教家らしからぬソテロの交渉術には、常長も、一目置かざるを得なかった。

一行は慶長十九年（一六一四年）十月二十一日から十一月二十五日までの、一月余りをセビリア市に滞在する。

その間、常長とソテロは議会に招かれ、政宗がセビリア市に送った『伊達政宗書状』を読み上げることになった。無論、常長が読み、スペイン語に訳してゆくのはソテロである。

二人が立ち上がると、直ぐに後ろに控えていた瀧野嘉兵衛が、恭（うやうや）しく両手に飾り紐の下がった太刀を奉げ、頭を低くして進み、議場正面の議長に差し出した。

壇上に上った常長は、好奇の眼でこちらを見ている議場に向かい、深く一礼すると、件の『政宗書状』を読み上げた。その後を、一区切りずつソテロが訳していく。

常長の読み上げる言葉は、勿論、誰も理解できぬ東北弁であったが、その小太りの達磨の様な姿は、日本人が初めて議会の壇上に上った人間とは思えぬほど、実に堂々としていて、議場は水を打ったような静寂に包まれた。

「この度、神のお導きによりソテロ神父に出会い、基督の教えを聞いて、自分も基督教徒になりたいと思うが、今は、事情があってまだ受け入れていない。しかし、わが領国内で基督教を広めるため、ソテロ神父と家臣の支倉常長を遣わした。貴市がソテロ神父の故郷と知って、貴市の繁栄を心よりお喜び申し上げる。スペイン国王およびローマ教皇の御前に、二人の使者が無事に罷り出て、われらの望みが叶うことを願っている。また、貴国には航海士や航海術に長けた者が多いと聞くので、日本から貴市へ直接、航海できるかどうかを検討して頂きたい。最期に、この使節が無事、国王と教皇のもとに拝謁できるように、ご配慮をお願い申し上げる　恐惶謹言」

実は、この書簡は白紙であった。白紙の終わりに、予め政宗の署名と花押が書き入れてあり、後で、常長が周りの状況を見ながら書いたものである。更にそれを、ソテロが自分の都合の良いように訳したものであった。

ソテロは何よりも、宣教師派遣を前面に出す必要があり、政宗の一番の関心事である、貿易交渉には敢えて触れなかった。

書状を読み終わると、市長サルバテイラ伯初め、参集した議員達も大変満足し、議場は満場の拍手に包まれた。

常長も頬が紅潮する思いであったが、その感激は陽に焼けた顔色に隠されたまま、彼は何度も議場に向かい丁寧に頭を下げるのであった。こうしてセビリアで歓待を受けながら使節一行は一ヶ月ほど滞在した。

この間に、常長や随員達は市の要員に招かれてよく市中見物にでかけた。

いつも常長に同行して附いてゆく小寺外記などは、南蛮国の、何時までも暮れない日の長さに驚いてはしゃいでいる。

また、往来の賑やかなことよと、街角や路地のあちこちから聞こえてくる人々の歌声や陽気な音楽に自然と身体が弾むのであった。

最初の晩に、市主催の宴会が催され、日本では見られない珍しい御馳走に囲まれて、特別の余興などを見学したりした。

大使も随員達も、この国の物の豊かさに驚嘆した。この食卓のなんと贅沢なことよと、一行は日本では見たことのない果物や料理が山盛りに盛られているのに肝をつぶした。

常長に特別な好意を示した市長は、遅くまでスペインの伝統的な舞踊や劇を披露して、一行をもてなしてくれた。

ここまで話すと、常長はゆっくりと面を上げて、部屋の周りを見渡した。重臣達はしわぶき一つなく、皆、食い入るように常長の話に聞き入っていた。

政宗も静かに、瞑目しながら脇息に凭(もた)れて聴いていた。

首都マドリッドへ

セビリアで一ヶ月ほど過ごした一行は、十一月末の二十五日に、いよいよスペイン王の居住するマドリッドに向けて出発した。当初は、十九日か二十日と予定されていたが、降り止まぬ大雨のために延期となった。

例年、このアンダルシア地方は、真夏には大地を焼き尽くすかと思われるほど太陽が照り付けるが、晩秋になると雨期に入り、その太陽が影を潜めて、どんよりした曇り空が続く。時には、激しい豪雨となって連日降り続き、アンダルシアの大地を隅々まで潤すと、その後は、嘘のように晴れ渡るのだ。

市長は、王宮の枢密会書記官宛てに、降雨のため一行の到着は十二月四、五日頃になるであろうと連絡した。更に、マドリッドまでの道中の費用や、市が一行に用意した馬や馬車、調度品の数々を、詳しく羅列し報告している。

その何点かを記すと、フェリッペ三世への献上品を運ぶ四頭立ての馬車五台、一行の身の回り品用の馬車二台、騾馬三十一頭、荷馬十二頭、さらに、市派遣の執事、宿泊係、警吏、料理人、その他に、下僕数名が提供され、会計には道中の路銀が託された。これらの編成をみても、かなり大掛かりな行列であったことがわかる。

実は、一行が訪れた時、セビリア市の財政は決して豊かではなく、むしろ困窮の状態であったが、ソテロの働きや市長の判断によってこれらの費用の負担が議決されたのだった。

市長の心を捉えたのは、初めて会った時の常長という人物の印象であったという。

「この人物は分別があり、何事にも大変気遣いを見せている。彼は自分になされたことに深く感謝している」と。

また、市商工会議所長のフランシスコ・デ・バルデは、書簡で「彼は物静かで、見識もあり、言葉遣いがきちんとしていて大変尊敬に値します」という旨の、好印象を報告している。

我々は今日、これらの書簡や報告によって、当時、日本の武士を代表する一人の侍が居たことが解るのであるが、おそらくそれは常長一人だけでなく、彼に付き従う随員の一人一人も、日本の武士としての誇りある行動をとったからであろう。

雨上がりのセビリアを出発した一行は、ガダルキビル川に沿って、大帝国スペインの首都マドリッドを目指し、一路東へと向かった。行く手には、延々とアンダルシアの赤茶けた大地が延びている。

最初に目指したのは、かつてイスラム世界の中心地として栄えたコルドバ市である。八〜十一世紀にイスラム教徒が渡来、世界最大の都市として繁栄した古都である。

セビリア市から連絡を受けていたコルドバ市では、市長自ら騎馬隊を従えて一行を出迎えた。騎馬隊の隊列の中を進んだ一行は、待ち構えていた楽隊や市民の舞踊などで歓迎をうける。

宿舎はドン・ディエーゴ伯の館と定められ、その日の晩には市主催の祝宴が催されて、随員も豪華な食事で歓迎された。

翌日には、行く先々で、遥か東洋からの珍客を一目見ようと、多数の市民が集まってきて、大賑わいとなり、通りは大混乱したという。

この時に常長は、突然何を思ったか、市長にコルドバ市の牢獄の視察を願い出たのであった。一瞬、常長の申し出を不思議に思った市長は、大使のたっての求めに応じて快く了承し、わざわざ市長自ら牢舎まで案内してくれた。その上来訪記念として、囚人の恩赦を実施したのであった。

常長は、市長の寛大な計らいに感謝しながら、因みにと、囚人たちの罪名を問うと、ほとんどが窃盗とか騙(かた)りなどの、軽微の咎(とが)であったという。

それを聞いた常長の心は複雑に揺れるのであった。過般、故郷仙台にて、実父や自分等一族に科せられた罪科により、父常成が無念にも切腹させられた事に思いが及んでのことであったろうか。

今日、その罪状というのが、隣地との土地争いに関わる軽微な咎であったことが、判ってきている……。

ここまで話が及んだ時、常長は暫し話すことを止めて、上段の間に黙座している主君政宗の顔を覗き見た。

　政宗は、相変わらず脇息に凭(もた)れ、薄く眼を閉じ常長の話を聞いていた。しかし、その様子に漂うものは、常長の話などにいささかの痛痒も感じぬ、己の命令一つで、思いのままに家臣を統(す)べる一人の独裁者の姿であった。

　常長の必死の思いを込めた話にも、特段、気にする様子もなく、ただ常長の話に軽く頷くだけであった。


　市内の視察を終えると、いよいよ一行はマドリッドを目指した。

　大勢の貴族が見送る中、市長達に別れを告げてコルドバ市を後にした一行は、彼らの親切に感謝し、何度も手を振って応えた。この時、大勢の市民達が、街の外れまで一行が見えなくなるまで見送ったという。

　一行は、アンダルシア大地を真っ直ぐに北上し、ローマ時代から続く古代イベリアの首都、トレドを目指した。

　アンダルシアを越えると、一面、見渡す限りのオリーブ畑が続き、なだらかな高原が遥か地平線の向こうに消えている。

　やがて、それらはブドウ畑に変わり、小麦畑になって、青い空の彼方まで続いていた。

ご存知のように、ここは、ドン・キホーテの舞台、ラ・マンチャの台地である。褐色の一本の道が、地平に向かってどこまでもどこまでも延びている。乾いた秋風に吹かれながら、一行はひたすらに歩き続けた。

丘の上には所々、とんがり帽子の白い風車が立ち並び、大きな羽根が枯れ葉色の風を受けて彼らを優しく迎えてくれた。

一行が古都トレドに着いたのは、太陽が西に傾き始めた頃であった。丘から眺める古色蒼然としたトレドの景観に、皆、声もなく見惚れていた。眼下には、何層にも陰影を帯びた古都トレドの街並みが拡がり、ターホー川が城壁に囲まれた市街を、ゆったりと包むように流れ、折しも夕映えが、王宮の城壁や教会の尖塔を紅く染めた。

街に着いた一行は、ターホー川を渡り、整然と旧都に入って行った。王宮正面のアルカンタラ橋を渡って、王宮の手前を川沿いに南へ進み、サン・フランシスコ・グランデ教会のサンドバル大司教を訪ねて行った。常長は、歓迎行事が大きくなるのを避けるため、到着予定を知らせず、ひっそりと訪ねたのであった。

大司教は、突然の、この東洋からの珍客を大変喜び、

「是非、この旧都トレドの佇まいを味わっていって下さい。宿泊所なら、この教会がありますから」

と、長旅の労をねぎらい、是非にと逗留を勧めてくれた。

常長も一行も、皆疲れており、休息の誘惑に駆られたが、マドリッドへ急がねばならなかった。

ソテロは常長に余り日数がない事を告げた。常長は、ソテロの言葉に頷くと、大司教へは表敬だ

けに留め、一行は再び秋風の吹く中、疲れた身体を引きずりながら、次の街へと向かった。

使節一行が首都マドリッドに着いたのは、クリスマスも近い十二月二十日の夕方であった。セビリアから二十五日も要したことになる。

この日は、冬でも特に寒気が厳しく、しんしんと雪が降り、今後の行程の困難を暗示するかのようであった。

マドリッドの政庁に到着を知らせたのは、近郊のヘタフェ村に着いてからであった。

吐く息も凍える夕暮れ時で、今までのように、一行を迎える歓迎式典や市民の行列もなく、彼らは皆、頭や肩まで全身雪に覆われながら、宿舎に指定されたサン・フランシスコ修道院に入って行った。この時の入府は、それまでの歓待が嘘のように、質素で淋しいものであった。

マドリッドは、十六世紀後半、前帝フェリッペ二世の全盛期の代に古都トレドから遷都した、当時、世界最富強国スペインの首都である。

国王は大使一行の来着を知ると、侍従長と僧院長並びに国王の名代としてドン・ビバンコ司祭を遣わし、

「国王陛下は貴国一行の到着に満足され、しばらくは休養に努めて長旅の疲れを癒し、キリスト降誕祭を楽しんでほしい。また、一行のローマに出発できることを約束した」と、国王の言葉を伝えさせた。

しかし、クリスマスが過ぎ、新年の祝賀の行事が終わっても、国王との謁見は実現しなかった。

さすがに、常長も心配になり、ソテロに尋ねても、ソテロにしても要領は得なかった。

一方、常長一行がマドリッドへ向かっているちょうどその時期に、フェリッペ三世のもとに、日本で切支丹迫害が強まっている、という情報が届けられていた。

四百年前のこの時代でも、情報の伝達がかなりの速さで世界をめぐっていたことが見て取れるのであるが、無論、常長はそのような情報が、自分等の頭越しに届けられているとは、夢にも思わなかった。

この情報には、日本の王（政宗）の一人が派遣した使節は、日本の皇帝（将軍）の正式な大使ではないなどの報告が付け加えられていた。

そして、その情報の一端に、メキシコから加わったモンターニョが深く係わっているとは、一行の誰もが思わなかった。

事情を知らない常長などは少しいらだち、ソテロに謁見延期の理由を尋ねても、ソテロさえその訳は知り得なかった。ソテロはソテロで、自分の伝手（つて）を頼りに、あちこちと出歩く日が続いていた。

こうしてマドリッド到着から、既に二週間が過ぎていった。一行はじりじりとしながら、国王からの返事を待っていた。

当時のスペイン帝国には、国王を補佐する諮問機関として、新大陸の植民地行政を扱うインド顧問会議と、その上に、枢密会議という二つの機関が参与していた。

国王との謁見が延び延びになっていたのは、この二つの機関が、常長一行の役目と実態を充分に見極めることが出来なかったことが一つの原因であった。

さらに、ビスカイノからの書簡も、彼らの判断を遅らせた。

「ソテロは使節という妄想を抱いてローマに赴き、日本のために修道士派遣を請おうとしています。これからも陛下の負担で来ようという魂胆です。至聖なる教皇と国王陛下の御許へ、あたかも真実であるかのように、日本から使節を派遣するとの口実ですが、その実は、彼らのもたらす商品の利益のためです」

一方、常長とソテロも、国王を補佐する宰相のレルマ公や重要人物への接触を図り、水面下での努力を続けていた。

しかし、その間隙（かんげき）を縫うように、しばしばモンターニョが、宿舎を抜け出るのを誰も気にかけなかった。この間、スペイン政府の主要機関では、日本の大使引見に係る対応策がいろいろと討議されていた。

結局、常長がフェリッペ国王に謁見出来たのは、マドリッドに到着してから実に、四十日目であった。

フェリッペ三世に謁見

待ちに待ったその日、王宮からは馬車三台が遣わされた。

大使一行は、先のセビリアの時と同じように全員揃いの衣装で正装し、多くの騎士に伴われて、王宮へと向かった。王宮に着くと、両側に衛兵が整列している正面の階段を上り、長い回廊をいくつか通り、控えの間に導かれた。

ここから先は、常長だけが入室許可となり、常長は例の謁見用の白地の衣服に着替えて、重臣達が立ち並ぶ謁見室に進んだ。

国王は、謁見室の端に常長の姿を認めると、ゆっくりと天蓋が下がる机に凭（もた）れかかりながら立ち上がり、常長を迎えた。常長と直属の管区長とソテロの三人は、恭しく三度ひざまずき、スペイン風の敬礼をした。

その後で、常長はソテロと共に膝を折るようにして前に進み、再び、スペイン風に国王の手に接吻しようとしたが、国王は出した手をすぐに引っ込めると、帽子を脱いで軽く頭を下げただけであった。

それから、常長に起立を求め要件を述べるよう命じたのであった。

アマティの『遣使録』によると常長は凡そ、以下のように述べた。

「我々は天の光を求めて、天の光り無き国よりこの基督教国に来たれり。太陽の如き陛下の前に出て、今、予は最も喜びと名誉を得ることが出来た。奥州の王、伊達政宗はわが主君であり、神の教えを聴き、基督教こそ真の救いの道であると判断して、自ら洗礼を希望し、臣下をして基督教に帰依せしめんと望んでいる。基督教会の柱石たる陛下に宣教師の派遣を請い、教皇聖下にも同様のことを請願する為に予を遣わした。（中略）奥州王は、その位と領土を陛下に差し出し、予を遣わし友誼（ゆうぎ）と奉仕を奉げることを命じた」と。

但し、常長は、ここで政宗の親書をただ棒読みに読み上げただけではなかった。この口上は、ソテロが国王の前で、スペイン語に通訳したものであったが、常長自身も、自らの言葉で述べたもので、彼が異国に着いてから経験した、彼の心の中に芽生えた『神』という存在の自覚でもあった。口上の終わりに、「陛下の御手によって洗礼を受ける光栄を得んことを切望しております。この事は、私が日本に帰っても、大変に名誉で輝かしいものとなりますし、今日まで洗礼を受ける名誉を引き延ばしてきた所以でもあります」と結んだ。

東洋の果ての、日本という小国から来た一人の小男が、当時、世界最強国スペイン国王陛下の前で何物も恐れずに述べたのであった。

大広間に居並ぶ重臣達や、壁を埋め尽くした皇女達からも、その凛々しい一人の侍の姿に驚嘆の溜息が漏れた。

政宗の人を見る目は間違っていなかった。この男なら、何処へやっても、きっと立派に役目を果たすであろうと、敢えてこの難しい大役に抜擢したのだ。

ところで、先の常長の実父処刑という話に戻るが、ここに昭和六十一年に仙台市内で発見された、政宗直筆とされる家老茂庭石見宛ての驚くべき一通の書状がある。

その内容というのは、「支倉飛騨（常長の実父）の事、不届きの義候につき切腹」とある。更に、「子に候者（常長）も追放」という処分が下されたのだ。

年月日は八月十二日、と日付だけがあるが、現在、花押の形状から常長が大使に抜擢される前年

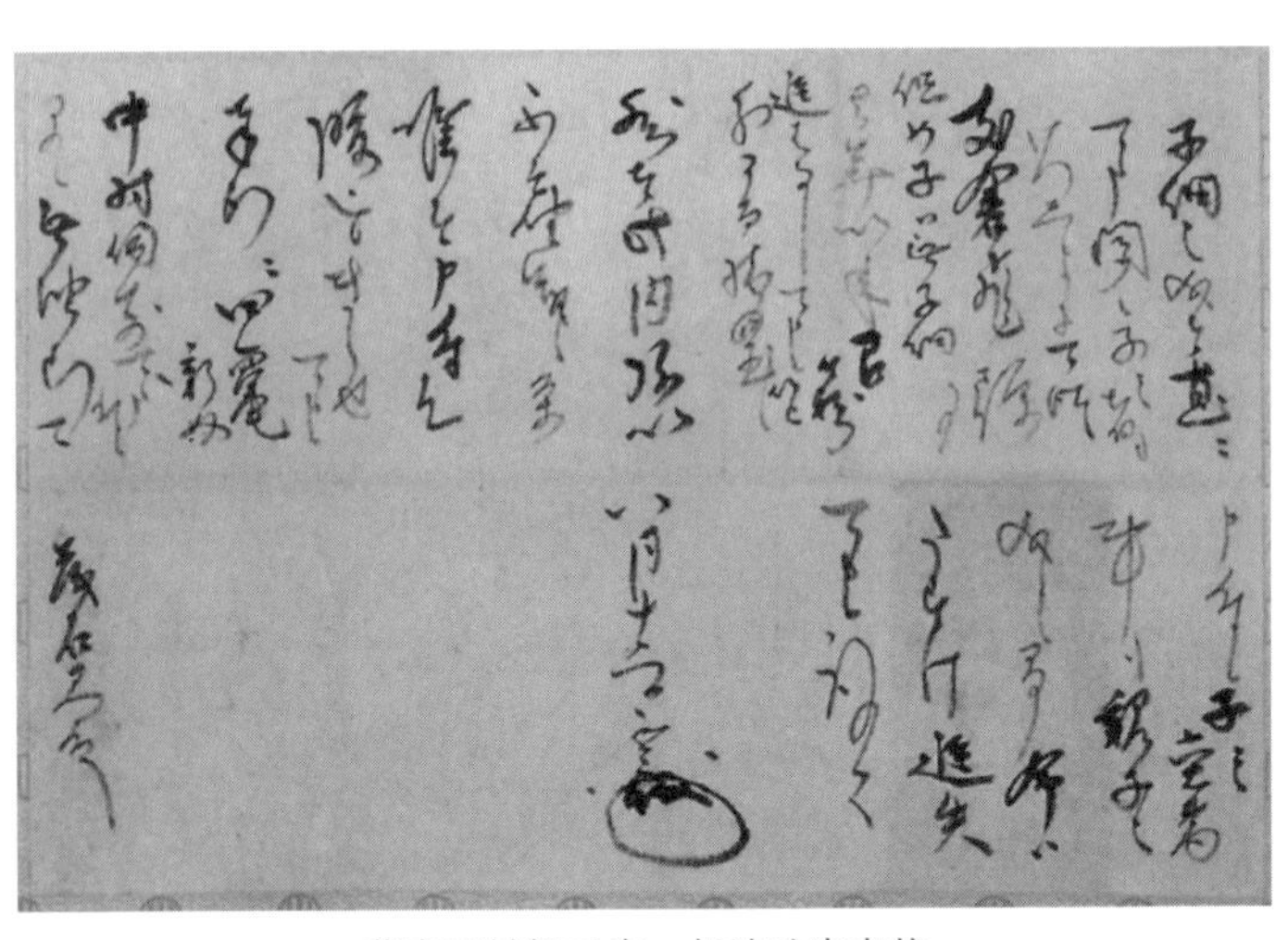

茂庭石見綱元宛　伊達政宗書状

の頃と推定されている（元仙台市博物館館長、佐藤憲一氏）。

『不届きの義』の内容は不明であるが、先にも書いたように、隣地との土地争いが原因であったようである。この時、常長も藩令に従い、一緒に縁座の処分に連なっている。

それでは何故、その後、すぐ常長が大使に任命されたのであろうか。

その事もまだ謎ではあるが、政宗には、戦国の世を生き抜いてきた、強かな度量と読みがあった。

政宗が家臣をメキシコに遣そうと思ったのは、既に、家康が銀山開発のために、慶長十四年（一六〇九年）から十五年にかけて、盛んにスペイン人技師の派遣を求めて、自らの使節を派遣することを提議している頃であった。

政宗も遅れじと、その機会を虎視眈々と狙っていた。実際、慶長十五年（一六一〇年）八月には百二十トンの幕府の船（英人、アダムス建造）が、京都の金銀商人田中勝介などを乗せてメキシコに渡っている。

但し、彼らの主な目的は、単にメキシコとの交易による商売であった。

政宗の野望

政宗には、もっと大きな野望があった。それを成し遂げられる人選を、江戸表に出ては、密かに政宗は練っていた。

彼には、この時代の大名には珍しく、既に世界という自国以外の認識が芽生えていた。島国という限られた土地での領国の争いを引きずる戦国武将の中にあって、太閤時代に味わった、朝鮮役の海外出兵という経験や、自領の前に茫洋(ぼうよう)と広がる大海原の存在が大きかった。

天下分け目の合戦が終わり、家康によって開幕されたとはいえ、世の中はまだまだ前代の荒々しい気風が残っていた。

その中で政宗の隻眼を捉えたものは、西国大名たちが独占していた南蛮国との通商であった。かつて、肥前名護屋城での茶飲み話に、南蛮貿易の魅力について有馬、島津、大友などの大名等から詳しく知らされていた。

彼等だけが、南蛮貿易の果実を独占していいいわれはない…。

関ヶ原の戦いが収束し、家康との百万石の約束は反故にされたものの、代償として仙台開府を許された政宗は、ひとまず領国の経営に力を注ぐ。最初に着手したのは、新しい仙台藩の首府の建設であり、城及び城下の町割りであった。

戦国の世に、国分氏の居城であった千代城の大改築など、政宗自ら屋敷割図を描き、名も『仙臺』と改め、次々と町造りを進めて行った。さらに交通網の導入に着手し、奥州街道や江戸その他の藩に通ずる街道を整備していく。

しかし、まだまだ、領内の経営は緒に付いたばかりであった。領土拡張に伴い、膨大な家臣を抱え、急激に増加する藩の財政を如何に安定させてゆくかが、この時期、政宗の前に突き付けられていた。

その問いに応えたのが、領内の河畔に広がる、広大な荒地を開墾する新田開発であった。開墾した土地は惜しげなく家臣に与えた。

こうして、北上川や江合川などに広がる湿地や荒れ地を積極的に開発していった。

しかし、その矢先、慶長十六年（一六一一年）十月、未曾有の大津波が仙台沿岸部を襲い、沿岸一帯は壊滅的な被害を受ける。史上『慶長の大津波』と呼ばれ、遣欧使節のちょうど二年前にあたる。漸く軌道に乗り始めた開墾事業は大きな打撃を被ってしまう。藩の財政は窮迫しており、早急に立て直しの必要に迫られていた。

たまたまこの時期に、スペインからビスカイノ提督が訪れていた。前年、幕府より、ドン・ロドリゴやハシントン神父一行をメキシコまで送り届けた返礼大使として遣わされてきたのであった。
ビスカイノは、スペイン国王からの正式な大使であったが、幕府との交易交渉がうまくゆかず、また、キリスト教徒保護の話や、前に交わした約束など、次々に反故にしてしまう家康という男に不信を募らせていた。

そんな時期に、たまたま江戸で政宗と知り合い、政宗からの要請を受けて仙台を訪れたのであった。ビスカイノから、親しく海外の話を聴いた政宗は、機会到来とばかりに、以前より胸の奥深く秘めていた遠大な構想を実行しようと決心した。

機会がようやく自分にも巡ってきたのだと、政宗は胸の底に溜まっていた宿望が膨らんでくる思いを実感した。

続いて、政宗の前に出現したのが、この物語のもう一人の主人公であるソテロという宣教師であった。彼はビスカイノの通訳として政宗の前に現れると、その流暢な日本語で熱心に世界の今を語り、政宗の海外飛翔への背中を力強く押したのだった。

（よし、この機会をおいて他にはない）と、断固決断した使節派遣の構想であった。

まだ、日本の各地に戦乱のきな臭い煙が立ち込めていた頃より、政宗の懐（ふところ）深く温めていた大望であり夢であった。

それを他人（ひと）は野心と言い、野望と言う。

（野望と言うなら野望と言え。野心と言うなら野心と言え。全ては、儂の心の中じゃて…）

早速、政宗は使節の人選に取り掛かった。この人選にいい加減な事は許されない。政宗の人生を賭けた大きな事業であった。

この事業を、なんとしても成功させねばならない。その為には、是非とも、政宗の宿望を成し遂げてくれる人材が必要であった。人物人格と共に勇敢で、しかも相手との交渉に秀でた者を選ばねばならない。

その中で、若い時より政宗の側に仕えてきた常長に白羽の矢が立ったのである。『使番衆（つかいばんしゅう）（偵察・使者役）』の一人として、朝鮮出兵時の『御手明衆（おてあきしゅう）（政宗の親衛隊）』の一人として、この男ならやってくれると、常長の事は知り尽くしていた。

また、使節船が運んで行った献上品の数々を見ても、政宗のこの派遣に賭ける本気度が知れるのである。

たまたま常長は、運悪く実父の罪に連座することになったが…。

これも政宗一流の狙いで、一旦、敢えて一族一統も追放して家臣、領民の納得を得ることは、藩法上、必要な手続きであった。それらを見越しての常長復活であり、政宗の強か（したた）な演出でもあった。

この手続きを経ることによって、大使常長への期待と、また、その恩義に報いる為の常長の自覚と覚悟がより高まり、同時に、使節船への一体感が深まると政宗は読んでいた。

追放によって接収された常長の知行地六百石は間もなく回復され、新たに登城に便利にと藩庁近く一里の処に屋敷が与えられた。

仙台藩を率いる政宗とて同じであった。幕府からいつ何時、無理難題が課せられるかは、誰も予測できない。今、スペイン側と通商条約を結んでおけば、仙台藩にとっては大きな保障が約束されるのだ。幕府に対して、いつでも自立できる道を確保しようとしていた。

これが政宗の腹にある遠謀であった。

南蛮の航海術を手に入れれば、仙台藩単独で、すぐ眼の前に茫洋と広がる大洋に漕ぎ出して行くことも可能であった。

政宗の眼前には碧く広々とした、新たな世界が広がっていた。

常長の口上

さて、場面は、常長がフェリッペ三世や居並ぶ貴族や大官を前に口上を述べ終わったところである。

謁見の間に集まっていた王の側近や貴族達、王妃も王女達も、皆、この身の丈五尺三寸に満たない小男から発せられる音声と態度に、誰もが息を飲んで静まっていた。

当時、その栄光に陰りが出てきたとはいえ、まだ世界最強国スペイン国王の前で、堂々と演説したのであった。話し終わると常長は、静かに懐紙を取り出し、口にあてがい、じっと正面の議場を見つめた。

謁見の間は、水を打ったように静まり返り、暫く沈黙が流れた。やがて、フェリッペ三世より、直々にお答えがあった。

「日本の皇帝が我が王国に対して示された好意と要望に関しては、もっともなことであるとうれしく思う。また、かくも遠国より教えを求めて使節が我が国に来られることは光栄とするところである。また、神父が我々のために仲介の労をとり、働いてくれたことに感謝する」

国王は常長の口上に大いに満足の意を示し、政宗の親書に検討の約束を述べたが、この場では、どちらも正式な回答までには至らなかった。

ただし、常長の洗礼式典には喜んで出席する旨が伝えられた。

ソテロは国王側を動かすためには、敵対するオランダやイギリスを排除することを説いて回る必要があった。彼は、知己を求め、機会を見つけては、日本と組んだ方がはるかに有利であることを、国王周辺にも説いて回った。

その最も重要な人物はフェリッペ三世に最も信頼の厚い、宰相のレルマ公であった。公は国王の従兄にあたり、国王を補佐する立場にあった。

某夕暮れ、ソテロは、密かにレルマ公を訪ねた。

「閣下、今、日本ではオランダ、イギリスがしきりに幕府に働きかけ、接近を図っております。このままでは、我がスペイン帝国も彼の国より追い出されて、いずれ敬虔なキリストの教えも駆逐されるでありましょう。それは我が栄光あるスペイン帝国にとっては屈辱であり、大変に不名誉な事であります」

レルマ公は、深く椅子に腰を沈め、じいっとソテロの話を聴いていた。

やがて、ソテロの積極的な周旋が功を奏し、一六一五年二月四日、常長の洗礼式に先立って、国王に次ぐ実力者であるレルマ公と常長の会見を実現させている。

この時、常長はソテロを伴い、恭しくレルマ公へ政宗からの書状を手渡し、スペイン来訪の目的を述べ、使節への協力を要請した。

レルマ公は二人に対し、非常に満足した様子で、

「私からも陛下に、あなた方のご要望を良くお伝えしましょう」と、請願の向きや、特にローマに赴く必要経費や教皇聖下あての書状が得られるように尽力することを約束してくれた。

常長は、一瞬まさかと、わが耳を疑った。王に次ぐ実力者であるレルマ公からの言葉であった。そして、胸の奥からじわりと喜びが滲んでくるのが感じられた。

常長はレルマ公の前で深々とお辞儀をした。まさか、見知らぬこの異国の地で、人の温情に触れるとは思いもよらなかった。

後に、レルマ公は、周りの者達にこう洩らしている。

「大使の物腰から自ずと発散される精神の輝きと思慮深さを、余は絶え間なく感知しており、近年、世界最果ての地から使節が訪問するのは、スペイン国王の王冠にとって大きな僥倖である」と。

レルマ公は、さらに日本に帰航するための人員と、船舶および必要な品を申し出てくれたのであった。

思いも寄らない返答を耳にして、二人は感激し、何度も御礼の言葉を述べた。

常長は
「国王陛下の臨席のもと、閣下の御手で洗礼盤に導いてもらいたいと念願し、四千マイル以上も航海を続けて参りました。どうか、閣下に代父となって頂きたい」と懇願した。
公はそれに応えて、
「かくも重要な行為の為なら、大使の代父になるために、自分も同じ距離を行くであろう」と、快く約束してくれた。こうして、レルマ公は、一介の武士常長の、ゴッドファーザー（代父）になってくれたのである。

常長キリスト教に改宗

翌五日木曜日、一行はフランシスコ会跣足女子修道会の、フェリッペ三世の姉マルガリータ王女を訪ね、洗礼式を同修道院の附属教会で行えるよう、国王への取り次ぎを依頼した。

王女は常長一行に面会を許可すると、彼らに日本のことなど二、三の質問をされた後、快く使節一行の願いを聞き入れてくれると約束された。

この時、王女も案内に出た修道女たちも、日本から来た武士達の奥ゆかしく礼儀正しい立居振舞に、皆、感動させられたという。

因みに、後にスペインを代表する宮廷画家ベラスケスが、国王の娘と女官たちに光を充てて描いた絵画『女官たち』の中央の人物が、このマルガリータ王女である。

結局、洗礼式の日は二月十七日の火曜日と決定された。

その後、一行は再びトレドの枢機卿を訪ねて、洗礼式を執り行ってくれるよう願ったが、あいにく卿は中風の病の為と、辞退された。しかし、是非とも洗礼式には出席することを約束してくれたのであった。

それから数日後、枢機卿は彼らの誠意に感激し、わざわざ常長達の宿舎を訪れ、洗礼式に使う聖母の画像や十字架など、それに日本に戻っても自分の顔を忘れないようにと、自身の肖像画を持ってきてくれた。そして、「日本の武士達を饗応出来ることは自分にとっても、大変名誉なことである」と申し添えた。

これらの品々は、後に常長が日本に帰国した時に持ち帰った物の一つであろう。

二月十七日の午後、いよいよ大使常長の洗礼式が執り行われた。

フェリッペ三世は、後にフランス王妃になる王女マリーア（ルイ十四世の母）、二人の王女、大勢の大官、貴族等を引き連れて王立フランシスコ会跣足会女子修道院に到着した。

常長は、御者付きの馬車で宿舎のサン・フランシスコ修道院を出て、王の遣わした護衛隊に守られ、目指す教会に着いた。

同行したのは、ソテロやヘスース神父、それに歴史家のアマティと、既にキリスト教徒になっている常長の随員達であった。

教会の中は華麗なタペストリーや絢爛たる天蓋が吊るされ、壁や床は大量の銀器や燈火で飾られていた。祭壇の一番奥の左手には供物台がしつらえられ、そこに洗礼用の品々が準備されている。

日本人達は、祭壇に向かって各々、地位によって両側に分かれた。

準備が整い、王女の侍従長アルタミラ伯爵が右手方に、常長がもう一方に立って儀式が始まった。

すると司祭長であるドン・ディエゴ・デ・グスマンが厳かに礼拝堂に向かった。

そこには代父母になるレルマ公とバラシャ伯爵夫人のための椅子が置かれてあり、やがて、代父母が到着されると、儀式が始まるのを見守った。この伯爵夫人は、国王陛下の覚えが大変良かったので、王妃がたって代母に望んだ方である。

ほどなく、王室の司祭全員が蝋燭と松明をかかげて進み出て来、トレドの大司教に代わった司祭長グスマンが正装して現れた。

聖堂は厳粛に静まりかえり、常長は心の底より湧き上がる歓喜と信仰心に包まれて、聖なる洗礼を受ける心の準備をするのだった。

洗礼式は甚だ荘厳に執り行われて、司祭より大使に聖水が注がれると、オルガンが演奏され、王立聖歌隊がいっせいに「テ・デウム・ラウダームス（我ら御身を神と讃め称える）」の讃美歌を合唱し、教会内には天国のような、甘美な和音が響き渡った。

司祭は常長に向かって厳かに洗礼名『ドン・フェリッペ・フランシスコ・ハセクラ』の名を授けた。正（まさ）しく、国王陛下と同じ名を戴いたのである。キリスト教徒『フランシスコ支倉常長』が誕生した瞬間であった。

洗礼式が終わり、常長は司祭長に謝辞を述べ、代父母に、心より御礼を述べた。レルマ公は満足げに肯いた。やがて、レルマ公は代母と共に、常長を国王の部屋に導いた。

常長が恭しく王の前に跪（ひざまず）くと、国王は身体を起こすように命じ、彼の肩を優しく抱くと、

「神がそなたと、そなたの国王をも良き基督教徒にしてくださるように。そして、そなたは神の恩寵の中にいるので、今後、私のために祈ってほしい」と祝福の言葉を掛けてくださった。

常長は足元から身体全体が震えるような思いであった。

「自分は日本の武士の中で一番の幸せ者だと思います。それは自分が既に基督教徒になり、長い間の希望がついにかなったからというだけでなく、陛下ご自身の臨席を賜ったことで、いっそうの名誉を授かり、神に新たな生を受けましたからです」

常長は、全身に感激を表して述べると、

「生涯にわたってスペイン国王のために神に祈ることを誓います」と、率直に受洗式の喜びを表明した。

この時の常長の顔は、居並ぶ誰よりも晴れ晴れとして、幸福感に満たされていた。

この後に、誰が、常長が転宗することを信じ得たであろうか。

洗礼の儀式を終えた常長は、国王の命令で修道院内を見学することを許され、修道女の案内で礼拝堂や聖遺物を見て回った。それから病室に案内され、修道院長を見舞った。

一行の院内を見て回る姿は、案内してくれた修道女達にも好印象を与えたようである。

アマティは『遣欧使節記』に次のように記している。

「この見学は修道女と貴婦人達に大きな感銘を与えたので、彼女達は、皆、精神的な満足が絶大で、涙ぐむほどであった」

因みに、この修道院は、今もマヨール広場の北方すぐのところに静かな佇まいを残して建っている。

一行が正門に戻って来ると、大勢の重臣や貴族達が待っていた。

帰りも、同じ護衛隊に守られ、一行が宿舎のサン・フランシスコ修道院に戻ったのは、既に、日没の頃であった。

そこには修道院長が修道士全員と共に立って、十字架と松明を高く掲げ、『テ・デウム・ラウダームス（我ら御身を神と讃め称える）』を歌って迎えてくれた。一行は、その美しい讃美歌を聞きながら聖堂に入っていった。

常長は、メキシコに入国以来、念願の受洗が叶ったことと、新たに来世への希望を持てたことに、主に感謝を捧げることを忘れなかった……。

さて、常長の受洗であるが、常長自身が受洗したということは、一般庶民のように単純な発想から望んだ改宗ではない。キリスト教国にとって、異教徒が改宗するというのは、信徒獲得に於いて、勝利に属する出来事でもある。

常長にとって、先祖代々、長年信仰してきた自国の神道、仏教を棄てるという事に他ならない。

その事は、生まれた時から慣れ親しんできた、祖先が祀られている家屋敷や墓地、親戚縁者など、全てを棄てることに連なる。

　つまり、キリスト教に帰依した彼の信仰が、決して形だけや、お役目の上から出たものではないのである。

　幸運にもキリスト教国に渡ることが出来、多くの教会や聖堂の厳粛な雰囲気に浸り、静かにキリスト像を拝する時、彼の心は次第に、この国の人々が信仰するものに惹かれていった。

　西洋の『神（デウス）』という存在に激しく心を揺すぶられ、この国の人々と同じように『神（デウス）』の御心のままに生きていこう、と誓ったのだ。

　しかし、このことが後に、彼の一身に重くのしかかってくるのである。

第四章　ローマ市入場

ローマへ向かう

ソテロも常長もひとまず重大な一役を終えたことに安堵の胸をなでおろした。この後、フェリッペ三世の控えの間に再び呼ばれ、国王から単刀直入に、大使はローマに赴くのかと、尋ねられた。常長は、率直に、その旅に出るために、陛下の許可と命令を待っており、そして、それが出来るだけ早く実現されるよう懇願した。

フェリッペ三世は満足そうに微笑を浮かべ、既に命令は出してあると返答されたのであった。国王からの言葉を聞いて、普段あまり感情を表に出さない常長もソテロも、内心飛び上がらんばかりに喜び、二人とも顔を見合わせるのだった。が、しかし、事態はそれ程簡単ではなかった。それから五ヶ月、六ヶ月過ぎても、国王からの返書は未だ届かなかった。また、ローマ行きの許可も下りなかった。

国王の最前の言葉から、すぐにでもローマに行けると安堵していた常長は不安な日々を過ごすことになった。

もともと、ローマ行きはソテロが強力に望んだものであった。一行をローマに連れて行くことによって、信徒獲得の実績を示し、現教皇から日本での布教の後ろ盾を獲得する腹であった。

一方、常長は、スペインとの通商交渉を滞りなく進める為に、ローマ教皇の権威を利用しようとしていた。

しかし、時を同じくして、スペイン政府の情報機関でもあるインド顧問会議に、国王の意向とは別に、一行に関する様々な不利な報告が届いていた。

モンターニョは、夜な夜な宿舎を抜け出しては、王宮の近くの古びた建物の中に消えていった。

暗がりの壁の奥から、ぼそぼそという声が聞こえる。立ち会う二人は、各々、黒い頭巾で顔を覆っていた。

「使節はメキシコと日本の交易に全く利益をもたらしません。それどころか、たとい不祥事が生じ我が艦船が遥々出動したとしても、この国を征服することは出来ないでしょう」

「何故なら、今までスペイン帝国が征服してきた南洋諸国とは大いに違い、あの国民は普段は大人しく従順な民族でありますが、一旦、戦となるや、結束して敵に向かい、戦死さえも名誉と称える程、彼らは極めて好戦的で戦闘に長けた民族であります。そこのところを、よくよくお伝えください」

短く話が終わると、暗がりから手が伸びて、モンターニョに何か黒い包みのような物を渡した。

さらに、メキシコ副王からも、日本のキリスト教徒弾圧を報告する書簡が届いていた。

「日本皇帝がキリスト教徒を殺戮し、益々弾圧を強めている。日本への通商は謝絶すべきで、使節のローマ行きにも強く反対する。ローマ派遣を勧めた張本人はソテロであって、ソテロの策略と甘言に乗せられてはいけない」等々。

インド顧問会議での宗教論争

報告を受けたインド顧問会議は大いに動揺し、是非とも使節が国王と謁見する前に、日本での長い宣教経験のあるムニョス神父を呼び、ソテロと二人を会合させて意見を聴収することにした。

二人は、某日、多くの司教が集まる議場で、日本での布教について自分の意見を陳述した。

議長のサリナス侯は初めにソテロを指名した。

指名を受けて、ソテロはゆっくりと立ち上がると、司教ら一同に向かって恭しく礼をした後、演台に向かい静かに口を開いた。

ソテロの真向いには、年老いたムニョス神父が両手で杖に寄りかかりながら、少し首をうなだれるように座っていた。

ソテロは、自信ありげに今までの自分の経験を述べ始めた。

「今、直ちに日本の布教から手を引けと、イエズス会の神父（パードレ）達はおっしゃいますが、それは端的に言えばそれまでの方法が間違っていたからなのです。確かに、今日までイエズス会の幾多の功績は認めますが、その後の、やり方が拙速でした」

ソテロは、薄暗い議場の隅々にまで行き渡る声で口を開いた。

すると、司教達のあちこちから、ざわざわと不満のざわめきが起こった。

議長のサリナス侯が皆に静粛にと注意を促した。

ソテロは、皆が静まるのを待つと、口許に軽く微笑を浮かべながら続けた。

「皆さんが最前から仰るように、成程、日本人は利口で狡猾でありますが、理のわからぬ人種ではありません。しかし、布教を焦るために余りに急ぎ過ぎたのです。つまり礼を弁えずに、西欧式に土足で日本の家屋に踏み込んだのです。ここのところを間違えたのです」

ソテロがここまで話した時、再び、議場にざわめきが起きた。

「彼らは、我々が征服してきた他の南洋諸国と違い、大変に礼儀を重んじる民族でもあります。そのところを他の諸国と同じように征服出来ると間違えたのです。つまり簡単に申しますと、やり方が力ずくで強引過ぎたのです」

ソテロがさらに続けようとすると、司教達から一斉に非難のざわめきが起こった。

サリナス議長はソテロに言葉を慎む様に促し、司教達のざわめきを制し、一旦ソテロに退席を命じた。

次に指名されたのは、額に何本ものミミズが這ったような皺を寄せ、痩せてすっかり頬のこけた、老いたムニョスであった。ムニョスは皺に覆われた細い手をあげ、両手で杖に寄りかかると、大儀そうに立ち上がった。それから喉の奥にでも痰が詰まったか、一つ空咳をすると、しわがれた声で話しはじめた。

「私の長年の日本滞在の経験から言わせてもらえば…」と言うと、口に手をあてがい、再び空咳をすると口をもごもごさせ、皺の寄った口を開いた。

「日本人というのは、極めて利に敏い人種であって、その他の物は一切、彼等の眼中にはない。此度の使節の派遣も、交易による利だけが目的であり、全く布教は望んではいない。また、日本という国は決して布教の出来る土地がらではない。この国での布教活動は、例えれば、瓦礫の砂漠にじょうろで水を撒くようなものだ。幾ら撒いても撒いてもいっこうに土に浸みてはいかない。撒いた後からすぐに乾いてしまう。つまり、この土地では、決して布教の芽は育たない。これが長年、日本という国に住んだ私の感想です」

こう言うと、また、口に手をあてがい小さく空咳を繰り返した。

「それが証拠に、皆さんも既にご承知のように、先年もようやく改宗したばかりの女や子どもまで、宣教師もろとも、情け容赦なく火刑に処され、残りの信徒や宣教師はことごとく追放されたのです。それらはまた、これからも各地でも繰り返し起こるでしょう。いずれこの国に、もっと酷い大迫害が起こる前にひきあげるべきです」

そう言うと、ムニョスは杖を取り、よろよろと席に戻った。

ソテロは、ムニョスが席に着く前に手を挙げ、顔を赤く染めて再び立ち上がった。

「今、ムニョス神父は、日本の国では布教の芽は育たない、と仰いましたが、しかし、それは間違っております。先ほども申しましたが、日本人は大変利口で利に敏い人種です。そこのところは私も同意いたします。しかし、彼等は自尊心も強く、誇りを何よりも大事にする民族である、というところが抜けておりました。彼らに布教するには、彼らの懐の中に入り、彼らの自尊心を汚さず、彼らと一緒になって、急がず慌てず利を持って進めば、必ずや彼らは就いてまいります」と、得意の弁舌で滔々とまくしたてた。

「焦らぬことが肝心です」と自信ありげに辺りを見回し、ソテロが大きな息をついて下がると、再び杖に寄りかかり、ムニョスが物憂そうに立ち上がった。演台に着くと、

「今、ソテロ神父が焦らぬことが肝心と、さも自信ありげに申されたが、この国ではたとえ急がずとも、焦らずとも、いや千年待っても布教の芽は育たないでありましょう。彼らが信じるのは『神』ではなく輪廻であり転生であります。『神の国』天国ではなく、生まれ変わりであり転生なのです。彼らは、『復活』という奇跡を信じません。『キリストの復活』と言う教えは信じないのです。この国では、万物は、行く川の流れのように、定めなく生滅変化して移り変わる、人生無常の姿なのです。

彼らにとって絶対者というもの、いわゆる『神』というものは存在しません。

彼らの根本にあるものは、何ものにもとらわれないということです。例えば、野山を流れゆく川のように、常に流転するもの、生まれては消える儚(はかな)い泡のようなものに、こよない安らぎを覚えるのです。それが彼等の生まれついての美意識なのです。己の定めさえも遁(のが)れられぬ運命として捉え、たとえ自分の末路は諦めても、決して天国という救いの神を求めません」

そういうと、ムニョスは、再び苦しそうに二、三度、空咳をすると、長い眉毛に覆われた細い目を開けて周りを見回した。

「彼らは、例えば山の頂や、こんもりとした森、あるいは季節ごとに巡りくる蝶や花や小さな虫たち、あるいは路傍の石や小川のせせらぎなどに、安らぎと転生を求めるのです。彼らの胸の奥に、生まれた時から浸み込んでいるのは、因果応報という考え方です。因があればその報いがある、という考えです。我々の教えの『キリストの復活』という奇跡を、彼等は信じません。救われるという考え方を求めません。ただ、人生の終わりに、彼らが願うのは『成仏』するという考えだけなのです。生を滅し終わった時に涅槃に入ることが彼らの願いなのです。彼らに天国という救いの園は存在しないのです。つまり、日本という国は、我々の宗教にとっては無縁不毛の土地であります。彼等の心の根底に染みついておるのは、繰り返しますが、人生無常であり、流れ去っていく川に浮かぶ泡沫(うたかた)のように儚(はかな)く、頼りないという感情であります。つまり、二度とは同じ処に戻らないということです」

　ここまで言うと、ムニョスは大儀そうに大きく息を付き、空咳を繰り返すと、唖然として驚いている司教達の顔を眺めまわした。

「今回、彼らが、メキシコに船を寄越したのは、今さら言うまでもなく、通商に名を借りて、わが国が開拓した太平洋航路と航海術を手に入れるためであります。しかも、日本の皇帝（家康）が喉から手が出るほど欲しいものはタスコの銀の精錬術であります。一方、此度(こたび)の使節の主、政宗は一地方の領主に過ぎないのです。皇帝である家康が一声『キリスト教は厳禁』の触れを出せば、全領主はそれに従わねばならないのです」

司教達の間から、再び、大きなため息とざわめきが起こった。

ムニョスは、途中で何度も咳を繰り返し、話を終えた。

ここで一旦、二人の陳述は終わり、この件はインド顧問会議の判断に委ねられることになった。

常長がフェリッペ三世との謁見が叶うまで、実は、スペイン政府内では、このような経過をたどっていた。


常長の話を聴いていた政宗と重臣達は、さすがに事の成り行きに紆余曲折があり、フェリッペ三世との交渉が、なかなか一筋縄ではいかなかった雲行きに、その後の進展が、専ら常長とソテロの手腕にかかっていたことをしみじみ感じるのであった。


この間に、ソテロは顧問会議からの要請に対して、六項目の請願書を出している。

その主なものは次のようなものである。
一、使節がローマに行ける許可と、その費用が与えられること
二、多数のフランシスコ会宣教師が日本に送られること
三、奥州王との通商取引を決め、彼の領国からメキシコへ船を遣る許可が得られること
これらの請願に対して、インド顧問会議はことごとく否定的な見解を示し、国王に奏上したのだった。

すなわち、ローマ行きについてはその根拠がなく不適当であること、奥州王政宗は、キリスト教

への帰依を表明しながら、自分は未だ洗礼を受けていないこと、皇帝家康による禁教政策が推進され、迫害が強化されていること、本国の財政的困難が続き、これを負担する余裕がないことなどが挙げられた。

しかし、国王は顧問会議が奏上してきた、使節一行のローマ行き禁止の件を却下した。

国王は、一行がローマへ行くことは、日本での迫害が強まっているこの時にこそ必要であり、彼らが教皇に帰服することは、彼の国での布教に好結果をもたらすであろうとの判断を下された。

ここまで上段の間で、常長の話にじっと厳しい表情で聴き入る政宗もまた居並ぶ重臣達も、常長の次の言葉を固唾を飲んで見守っていた。

政宗にしてみれば、スペイン帝国は、その無敵艦隊が一度は不運にも新教国イギリスに敗れたとはいえ、今も大航海時代の雄として映っていた。

イギリス・オランダと結び、インド洋を遠く迂回するより、自国の領内から直接、太平洋へと漕ぎ出して行ける利点を、はるかに大と捉えていた。

ビスカイノからの報告にもあるように、仙台藩に位置する幾つかの良港からは、新大陸に向かって、黒潮という大海流が流れ、その上、西から東に向かって順風が吹いているのだ。

南蛮国の新しい知識は幕府だけの独占物ではない。

しかし、新技術を習得するには、それ等を運ぶ船と航海術が、わが藩に是非とも必要な事であった。

かつて、鉄砲の伝来が戦の形態を全く変えたように、技術もまた、それを使いこなす道具も変わり、我々の生活の様相も変わっていくであろう。

それなら儂が、この伊達藩が他の誰よりにも先んじて、新しい時代に挑戦して、それらを手にしてみようではないか。

政宗の隻眼は、遥かな大海原の彼方の世界を見つめていた。政宗が復興の途上、大枚を投じ股肱の家臣、支倉常長に託した夢であった。

常長が再び、話し始めた。重臣達が控える絢爛豪華な孔雀の間は、しんと静まり返り、一同からは、しわぶき一つ聞こえない。

常長一行がマドリッドに入府してから、既に八ヶ月が過ぎようとしていた。その間、インド顧問会議との交渉や、各庁との接触など、常長は、どんな小さな情報でも集めて報告するように、モンターニョや小寺外記にも頼んだのだった。

モンターニョは、狡そうに上目づかいに常長を見ながら、神妙に頷いて見せた。

「わかりました大使。これから、少し心当たりが有りますので、ちょっと出掛けてきます」と言うと、いつものように夕暮れになると宿舎を出て行った。

「大使、どうもモンターニョ殿の行動が少し変ですね」と、小寺がある時、常長に質したのだが、常長は、特に気にする様子もなく、その訳を聞いた。

「いや、つい先日ですが、少し彼の後を附いて言ったのですが、辺りが暗くなったというのに、顧問会議の建物の中に入っていったものですから」

「何か彼なりに、色々と情報を探しているのであろう。他所の国に来て、余り人を疑うものではない」と、常長はむしろ小寺をたしなめる風で、相手にしなかった。

小寺は少し不満そうであった。

そうこうしながら、一行はひたすら国王からの返事を待った。

しかし、ソテロと常長の懸命な奔走にも係らず、国王からのローマ行きの許可は下りなかった。同じ時期、日本では幕府による禁教令が強化され、キリスト教徒への弾圧が益々強まっている等の報告が様々なルートで顧問会議に伝えられていた。国王側としても、この問題を無視するわけにはいかなかった。

また、別な問題として、常長一行の宿舎であるサン・フランシスコ修道院でも、大きな難問が持ち上がっていた。

八ヶ月にも及ぶ常長一行の滞在は、修道士たちの生活を圧迫していた。三十人以上にも及ぶ日本人達の居る部屋は、修道院の中でも比較的快適な部屋や病室が充てられ、その為、修道士達は自分達の居室を長い間奪われた状態が続いていたのだった。

院内での住環境が悪くなる中で、腸チフスなどの病人が急増したが、治療・療養の場が失われて、多数の死者が出ており、早急に日本人達の退去を求めるものであった。

こうした中、七月下旬、漸く常長一行のローマへの出発許可が正式に国王から伝えられた。国王は「使節がローマに行くことは、後々、好結果を生むであろう。彼らのローマ行きを妨げるのは宜しくない」と、顧問会議の反対意見を抑え、早急に出発させる方が得策と判断したのだった。加えて、一行のローマ行きの費用として、国王から四千ドゥカが認められた。彼等がコリア・デル・リオに上陸してから、マドリッドまでの滞在費を入れると、約六千四百ドゥカ、現在の邦貨に換算しても一億円ほどになるという。

実は、国庫はフェリッペ三世が、国を引き継いでより、慢性的な赤字続きであった。しかし、今回、大変な金額が、使節一行のために支出されたことになる。無論、これはソテロの舌先三寸の弁舌に与っていたことは否めないが、常長の人柄と随員一行の侍としての行動の謙虚さが、彼らを動かしたに違いなかった。

こうして、国王から、パウロ五世教皇宛ての推薦状と旅行許可証も渡され、ローマ行きの準備が整ったのである。

話は少し遡るが、この頃、常長は通訳兼秘書として、ローマ人の歴史家シピオーネ・アマティを採用している。彼は、一行がマドリッド滞在中に、常長とソテロに会って採用され、貴重な『伊達政宗遣欧使節記』を残している。

この物語の多くは、彼の『遣欧使節記』に依ることが多い。その記述の魅力的なのは、ソテロか

スペイン国王フェリッペ３世の像

ら聞いたと思われる部分も多々あるが、彼自身による政宗の人物像や、日本の伝統、風土にまで及んでいることである。

常長一行がローマに向けマドリッドを出発したのは、八月二十二日であった。常長達が前年のクリスマス前夜にマドリッド入りしてから、既に九ヶ月に及ぶ滞在となっていた。この間、彼らはかつて世界を二分したイスパニア大帝国の中心地、王都マドリッドで何を見たであろうか。

宿舎の修道院のすぐ近くにはスペイン帝国の起点となるプエルタ・デル・ソルがあり、そこから歩いてすぐ、王都の中心マヨール広場に出ることが出来る。

フェリッペ三世によって整備されたマヨール広場は、一行が訪れた時は完成間近であったが、周りを瀟洒な石造りの五層の建物によって囲まれており、中央の広場は一面に石畳みが敷き詰められてあった。

広大な広場を背景に建つ豪奢な建築群に、帝国の威厳のようなものを直に感じたことであろう。

こうして、西洋文明というものに初めて接した一行三十人は、王都に各々の思いを抱きながら、マドリッドを出発した。

この間に、アカプルコ港に二年余り係留されていたサン・ファン・バウティスタ号が日本に向けて帰航している。

この時に、ビスカイノやスペイン水夫等送還の返礼として、カタリーナ神父が国王の使節として遣わされた。

しかし、前年には、顧問会議が掴んでいた情報どおり、高山右近、小西如庵などの切支丹大名と共に、百四十八名のキリスト教徒がフィリッピン、マカオへ追放されるなど、日本でのキリスト教徒への迫害がますます強まっていたのだ。

このことは、まだ、常長一行もソテロも知るはずはなかった。

ドン・キホーテゆかりの地へ

マドリッドのアルカラ門を馬車、騾馬(らば)を連ねて出発した一行は、その日の夕方に大学の町アルカラ・デ・エナレスに到着した。この町は、昔から、サラゴサからバルセロナへと、地中海へ向かう交通の要衝として栄えていた。

因みにこの地は、当時の庶民の風俗を描いて一躍有名になった『ドン・キホーテ』の著者セルバンテスの出身地でもある。

翌日、一行はサン・フランシスコ修道院のミサに参列した後、附属の病院を慰問した。中に入ると、患者達を懸命に看護する修道士達の姿があった。

その時に、一行に小さな事件が起きた。

常に、付かず離れず大使を護衛していたトマス瀧野嘉兵衛を始め、堺の商人ペトロ伊丹宗味、尾張のフランシスコ野間兵衛の三人が、応接した二人の修道士の言動に甚く感動し、突如、自分達もこの地で修道士になろうと言い出したのである。

「自分達も現世を捨てて、今すぐにでも修道士となり、是非、ここで働きたい」

ペドロ伊丹とフランシスコ野間の二人が言い出すと、

「拙者も、彼らと共にここに残りたい」と、瀧野までが言い出す始末であった。

修道士の無償の行為を見れば、誰しも感動しない者はいないであろう。まして、キリスト教徒であれば、自己を顧みずに奉仕する姿に心を動かされても不思議はない。

常長とて同じ思いであった。しかし、常長には復命せねばならない主君が待っている。常長の帰りを、一日千秋の思いで待っている主君があった。

確かに自分は、国王臨席のもとで、多勢の人々に見守られながら、キリスト教徒に改宗し、誰よりも敬虔な信徒になることを誓った。

その事は、まぎれもない事実であった。

しかし、と常長は心の中で反芻（はんすう）するのであった。

自分はキリスト教徒である前に、小姓の時から主君政宗に育てられた伊達の家臣でもあると。

今、途中で全てを捨て、ここに残ることは、とりもなおさず主君を裏切ることになり、武士として何よりも辛い事であった。

この小さな事件には、流石に策士のソテロも困惑し、アマティと二人で必死に彼らの思いを止どまらせた。

ローマまでの道中は、まだまだ危険も多く、少しでも多くの人数が必要であり、彼らの護衛が欠かせなかったのだ。

この後、一行はアルカラ大学も訪れている。アルカラ大学は一五一〇年創立の名門で、神学、医学、人文などの各学部を持ち、ヨーロッパの各地から著名な学者や多くの学生が集まっていた。一行が到着すると、知らせを受けていた学長や学生達から温かい出迎えを受けた。

遥か極東からの珍客は、彼らの学問的好奇心も湧き立たせたのであろう。因みに、三十年前には、『天正遣欧使節』の四人の少年達もこの大学を訪れている。前回の少年達は、西回りでアフリカを越え、ローマを目指したのであったが、今回、常長一行は反対の東回りで太平洋、さらに大西洋という二つの大海を渡って、同じ処に足跡を残したのだ。

先の余談の続きだが、慶長遣欧使節がイスパニア帝国（スペイン）を訪れていた時、セルバンテスはマドリッドの安アパートで『ドン・キホーテ後篇』出版の準備に余念がなく、『後篇』はこの年の暮れに出版されている。『前篇』を出して以来、世界的に有名になったにも関わらず、版権を売り渡していたため、彼自身の生活は貧しかったという。一行がマドリッドに滞在中に、彼も同じ空の下で暮らしていたのだ。

東洋から来た侍達のことを聞いて、彼もパレードを、一目見ようと顔を出していたかもしれない。不遇な老作家は『後篇』を出版してから一年後に、妻に看取られ淋しくこの世を去っている。

シピオーネ・アマティの記録

八月二十四日の早朝、一行はアルカラを出発し、グアダハラを経由してアラゴン領のサラゴサを目指した。途中、ダローカに寄っている。

ダローカでは有名なキリストの遺体といわれる聖体を拝し、サラゴサに着いたのは八月三十日の夜であった。

翌朝は、アラゴン副王のヘルベス侯に招かれ朝食に与(あずか)っている。

次々に出される料理でもてなされた一行が、食後も様々な話題で懇談した様子が、アマティによって記されている。

アマティは、また、一行の面白い光景についても書いている。随員の一人が懐紙で鼻をかみ捨てると、人々が争って拾いにきたという。それを見て、また、一行の何人かが喜んで鼻をかんだと。

九月一日、一行はサラゴサを出発しバルセロナを目指した。途中、アマティは執事マティアスに書状を遣わし、行く先々の領主に大使護衛のための騎兵隊の派遣を要請した。こうして、前もってアマティの書簡が出されていたため、一行は着いた場所々にて、手厚い歓待をうけたのだった。

騎兵に守られ、九月五日の夕方にバルセロナに入った。バルセロナに着いた一行は、ローマへ向かう船の調達を依頼した。

しかし、アマティが最初に予定していたイタリア行きのガレー船の到着が遅れたため、たまたま停泊していた、ジェノバ船籍のフラガータ船二隻とバルセロナの小型の帆船一隻に分乗して出発することになった。

いよいよ彼等は、ローマを目指し地中海に向かって出航した。

ここまで話してくると、常長は姿勢を正し、やおら懐から畳んでいた地図を取り出した。それから地図を両手に捧げ膝行（しっこう）して、それを政宗の居る上段の間の近くまで運び、ゆっくりと広げた。広げられた地図の中には、地中海を囲むスペインからローマまでの概略が、太い墨で描かれていた。

既に、一六〇二年には、世界地図はイタリアの宣教師マテオ・リッチによって完成されていた（『坤輿万国全図』）。

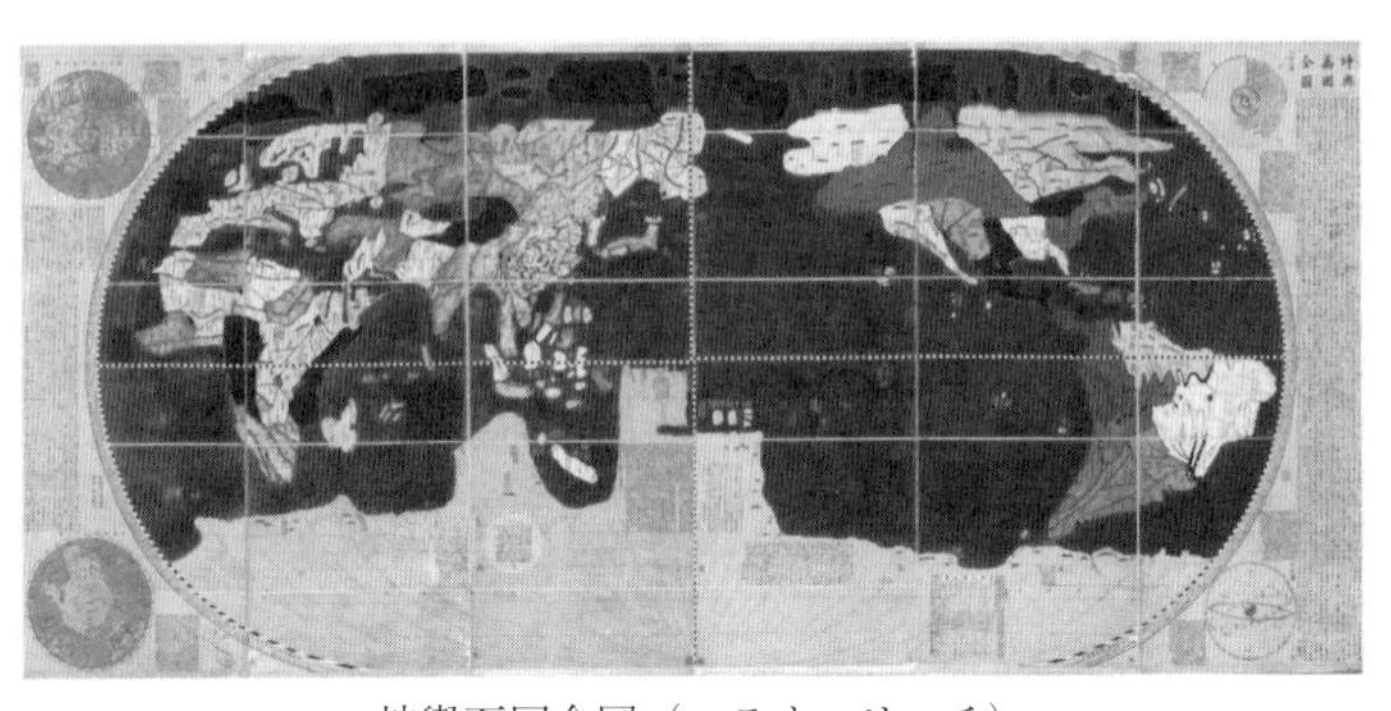

坤輿万国全図（マテオ・リッチ）

それを、常長がどこかで見て、概略を写したものであろう。重臣達が地図の周りに集まり、政宗は少し膝を進めると、上から透かすように眺めた。常長は広げられた地図の下方に居て、扇子を腰から取り出すと、一々指し示しながら一同に話し始めた。

「拙者が往って参りましたのは、斯様なところでございます」

というと、スペインの上陸地点セビリアから、王都マドリッドを指し示した。

「ここがイスパニア帝国の王都マドリッドでございます。王都は周りを石造りの建物で囲まれ、我が国の江戸以上に、大変に賑わっておりました」

重臣一同は常長の周りで静かに聴いている。

「それから、先ほど申し上げましたサラゴサを過ぎ、我国よりも数倍も大きな地中海と呼ばれる海港の町バルセロナに着きました」

常長は、再び扇子で地中海の大きさを地図で示しながら話し続けた。

九月末、準備の出来た一行は、ローマへ向けて出港した。

しかし、彼らを乗せた船は、あいにくの悪天候の為、途中、南フランスのサン・トロペに寄港を余儀なくされ、同地に二日間滞在することになった。この時の寄港が、日本人としてフランスを訪れた最初であったという。

その時、世話をした領主夫妻が、当時の彼等の姿そのままを記述したものが残されている。

常長も、他の日本人も、背は非常に低く、甚だ日焼けしており、鼻は低く扁平で、日本の羽織にスペイン風の衣装を着用していたと記され、侍達は常に肌身離さず大小二本の剣を差していたと。

剣は大変鋭利であり、一枚の紙を剣の上に載せ、息を吹きかけると、たちまち紙は切断されたと驚いている。

彼らの頭部には、長さ十センチ程の髪を結い、白い絹の布で結わえられていたが、これは彼の国では、戦士である印であると述べられ、食事の際には、二本の小さな棒（箸）を使い、食べ物に直接手で触れることは決してなかったことなどが記されている。

一行が再び地中海を東に向け出航し、イタリアのジェノバの港に着いたのは十月十一日の事であった。彼等の宿舎は、港に近いフランシスコ会の修道院が充てられた。

ジェノバはコロンブスの出身地でもあり、昔からベネチアやナポリと共に地中海貿易の中心的な港として栄えていた。

その後、一行は大型のガレー船に乗り換えて、更に南のローマ教皇領チヴィタヴェキアの最終寄港地に向かう。同地到着は元和元年（一六一五年）十月十八日であった。

仙台領月浦を出てから既に丸二年が過ぎようとしていた。

チヴィタヴェキアはローマの外港であり、港に着くと、ソテロはすぐアマティをローマへと向かわせ、教皇庁及びボルゲーゼ枢機卿と連絡を取るよう指示した。

これからの折衝相手の中心は、教皇パウロ五世であり、その甥であるボルゲーゼ枢機卿であった。ボルゲーゼ枢機卿は、教皇の側近中の側近として力を持っていた人物で、なによりも肝心の折衝はこの人の意向次第であった。

一方で、常長は何とかここまで来てはみたものの、教皇との謁見は難しいのではないかという一抹の不安を抱いていた。

以前に枢機卿より、フェリッペ三世の側近に向けて、この会見にかなり否定的な書簡が送られていたのだ。

しかし、常長もソテロも、ここで引くわけにはいかなかった。ソテロにしても、なんとしても使節一行を時の教皇パウロ五世のいるローマまで案内して、奥州王伊達政宗の親書を直接パウロ五世に奉呈する役目も果たさねばならなかった。

ソテロには、更に重要な思惑があった。早速アマティに、卿と連絡をとるよう指示した。

アマティも、この国王の書簡の重要性を十分に認識しており、時を移さず教皇パウロ五世の所在を求め、ボルゲーゼ枢機卿を訪ねたが、生憎、卿は不在であった。やむを得ず、もう一人のスペイン大使デ・カストロを訪ねたが、こちらもチボリの別荘にに出かけていて留守であった。しかし構わず、そのまま彼のチボリの別荘まで赴き、直々に大使にフェリッペ三世の書簡を手渡した。

書簡には、

「ローマ入府を願う使節一行は確かな使節であること、ここまでの道中、自分が便宜を図ったこと」等、縷々記されていた。

スペイン大使から連絡を受け、急遽アマティに面会したボルゲーゼ枢機卿は書簡を見て、直ちに使節受け入れを承認し、早速、馬車四両、さらに十頭の騾馬を用意させた。

アマティは自分がマドリッドから一行に同行し、常長の人物を保証できると、卿に説いたのだった。卿は、当初、イエズス会の報告だけを受けて、使節の正当性を疑問視していたが、アマティの人柄や会話を交わす中で、その懸念は晴れたようであった。

ローマ教皇に謁見

一方、チヴィタヴェキアで、どうなることかと不安を抱えたまま一週間も待っていた一行は、教皇への謁見を許すという枢機卿の書簡を見て、全員歓喜の声をあげ、ホッと胸を撫で下ろした。

同書簡には、

「大使らが教皇聖下に敬意を表するため、遠路はるばる遣わされてきたことは、国王（政宗）の宗教的願いが同じほど深いものであり、使節の来訪は、教皇聖下にとっても、私にとっても大きな喜びである」と記されていた。

常長はアマティからの報告を聞くと、喜びの余り小躍りして、皆に、その返書を両手で頭上に広げて見せたのであった。

その時、常長は、

「五千三百レグア（約三万キロ）の長旅の不便も幾多の災難も、一瞬にして、帳消しになった思いである」と大呼した、とアマティは記録している。これを見て、色々と言う人がいるかもしれない。

しかし、現代のように飛行機も列車も無い時代に、二つの大海を越え、欧州大陸を徒歩で歩き、更に、地中海を越えてやってきた常長一行が、此の一書を見ていかに安堵したか…。

この先、一行三十人を纏めていくのにも、リーダーとして必要な所作であったのだろう。

ボルゲーゼ枢機卿の書簡には、「教皇パウロ五世が特別の親愛の情を示しており、大使らを引見するであろう」と付け加えられていた。

安堵した一行は、チヴィタヴェキアの港町を一週間ぶりに出発し、途中のサントセベーラに向かった。

夕方には同地に着き、彼等が入城する時、大砲とマスケット銃の祝砲で迎えられた。それから広い食堂に導かれ、眼の前に並べられた豪華な料理の数々にただただ、驚くばかりであった。

翌二十五日の夕刻、一行はカヴァロの丘に建つクィリナーレ宮殿に到着し、偶々（たまたま）滞在中であった教皇にローマ到着の挨拶をするよう導かれた。

宮殿の前には、貴族達が大きな期待と好奇心を持って彼らを待ち構えていた。広場の両側には不動の姿勢で屹立したスイス人衛兵と、剣を奉じた軽騎兵が整列していた。その中を、威儀を正した一行がゆっくりと階段を上り始めると、そこにもあふれんばかりの宮廷貴族達が詰めかけていた。

そのまま、広間に案内され部屋に入ると、二人の侍従がやってきて、常長とソテロの二人だけが謁見室に入るように告げられた。

そこから、さらに中に進んで行くと、各部屋々には他の侍従や騎兵が控えており、二人に対して極めて礼儀正しく振る舞うのだった。

最後に、パオーネ侍従長に導かれて、教皇の謁見室に臨んだ。壁一面にビロードや瀟洒な縫い取りのある帳が下がる謁見室の厳かな雰囲気に、二人の緊張はいや増すのであった。

教皇パウロ五世は、部屋の中央の背もたれのある白い椅子に静かに座っていた。二人は畏まり、通例の跪拝を三度行ってから、教皇の御足にひれ伏した。それから常長は、両手を胸の前に合わせた。

「このような名誉が与えられたことに深謝し、奥州王の名代として、ここまで無事に導いてくださった神に深く感謝します」と、厳かに表明した。

それを見て、教皇は二人に、父親のような愛情を示しながら、彼らに起立するよう命じ、

「貴国の名前や島の名前さえ、ほとんど知られていないほどの遠方の国から、良くぞ来られた」と、大きな喜びと満足とを示した。

やがて、二人に対し、

「奥州王国の改宗は大変喜ばしく、聖なる福音がそれらの地方に広まっていることを聞いて、非常にうれしく思う」との言葉をお掛けになられ、引見の終わりに、

「使節の正当な要望に応えられるように格段の配慮をするであろう」と厳かに仰せられた。

二人は、教皇の慈愛深い言葉に対し、心から感謝して退出した。

教皇は、侍従長に彼らの宿舎をフランシスコ会のアラチェリ修道院が良かろうと指示すると、あらゆる便宜を尽くすよう指令した。

アラチェリ修道院では、たくさんの松明を灯した修道士全員の出迎えを受けた。聖堂の入り口ではオルガンが奏でられ、讃美歌で迎えられた。

常長もソテロも宿舎に着くと、まだ非公式とはいえ、思ってもいない幸先の良い始まりに、明るい希望を抱くのであった。

修道院長は一行を祭壇に導くと、特別の時にしか開示しない『聖母像』が画かれた覆いを外させて歓迎してくれた。随員達もその絵の神々しさに心を打たれるのであった。

各々、部屋に落ち着いた後に、常長とソテロ、アマティは修道士達と夕食を共にしたが、常長は、彼等との会話も上の空で、ようやく、二年に及ぶ旅の目的が達成され、教皇聖下の偉大な慈愛の果実を味わう所まで到達した、という安堵感のようなものに包まれるのだった。

ソテロは食事の前に一人皆と離れ、附属の教会に出かけて、薄明かりの灯る祭壇の前に跪き神に

感謝した。

（主よ、我々は貴方に導かれ、ようやくここまで来ました。どうかこの後も私達をお守りくださいと。

一行はついに、教皇パウロ五世に拝謁することが叶った。


常長がここまで話した時、しわぶき一つせず、息をつめ常長の話に耳を傾けていた重臣達から、おおっというどよめきが漏れた。

政宗も大きく頷き、持っていた扇子を力強くパチンと鳴らした。

正式に教皇との謁見が執り行われ、わが親書が手渡されたのだ。教皇の後ろ盾さえあれば、わが思いが叶うのも、そう難しいことではない、と期待に胸をふくらますのであった。


このクィリナーレ宮殿は、前教皇グレゴリオ十三世の夏の別荘として建てられたもので、当時は、パウロ五世が居住用として使用していた。その宮殿内に、パウロ五世が新たに礼拝堂を新設し、これに隣接する部屋に、教皇が引見した外国使節の絵が飾られている。

その四枚目に当たるのが日本からの使節の絵で、常長とソテロの他に四人の日本人の顔が、大変リアルに表情豊かに描かれている。

西洋美術史家の田中英道氏は次のように述べている。

「この図がクィリナーレ宮の大きな広間のほぼ中央に描かれているという事は、当時、いかにこの使節が評価されていたかを如実に示している。この絵の素晴らしい意義は、まず日本の侍が、あるいは日本人が初めて西洋人画家によって描かれたということである」（田中英道『支倉六右衛門と西欧使節』）

ローマでのパレード

いよいよ支倉常長一行の盛大なローマ入市式が始まる。

一行のローマ入市式は、教皇より最高の名誉と恩恵が授与されるよう、至福の使徒シモンとユダの日に当たる十月二十八日に決定されたが、あいにくローマは朝から雨が降る悪天候で、式典は翌日の二十九日に延期となり、パレードは午後三時と決まった。

当日、朝食を取り終えた一行はボルゲーゼ卿差し回しの馬車に乗り込みバチカンへと向かった。サン・ピエトロ宮殿の門外で容儀を整えた一行は、パレードがスタートするアンジェリカ門へとやって来た。

既に、バチカンの近衛兵がラッパを手に待機しており、常長には、特別に教皇お召しの白馬が与えられ、他の主要な三人にも美麗な飾りの付いた馬が充てられた。

主要な三人とは、メキシコ上陸以来、護衛を務めている瀧野嘉兵衛、伊丹宗味、野間半兵衛である。常長が一行を統率するのに、必要な人材を登用していることが分かる。

これらのことは、遣欧使節が、単に、政宗や家康が遣わした藩単位の使節というよりは、日本を代表する使節という意味合いが濃くなっていることを示している。また、そうでなければ、ローマ教皇やスペイン王も、彼らに対し、ここまでの受け入れ方はしなかったであろう。

パレードは軽騎兵がラッパを鳴らして始まった。近衛兵五十騎が先導し、ボルゲーゼ卿の家人達、各国の大使と侍従、貴人達が、美しく豪華な衣装をつけて続いた。

その後を、鼓手、楽隊、騎乗のラッパ手が続き、楽隊の演奏に割って入るように、スイスの衛兵が続き、彼らは礼砲を放ちながら行進し、パレードはいとも華やかな行列となった。

続いて日本人の登場となった。白馬に跨った大使の随員が一人ずつ、ローマの貴族二人にはさまれてやって来た。最初に現れた七人は羽織袴の正装で、大小二本の刀を腰に帯びていた。

すなわち、仙台藩士・シモン佐藤内蔵丞、トメ丹野九次、ジョアン佐藤太郎左衛門と続き、他、トマス菅野弥次右衛門、ルカス山口勘十郎、巡礼のファン原田勘左衛門とガブリエル山崎勘助が続いた。

次に同じ並び方で、四人の名誉ある日本の武士がやってきた。

先述のトマス瀧野嘉兵衛、ペトロ伊丹宗味、フランシスコ野間半兵衛、それに常長の秘書官を務める小寺外記である。最初の一人は、羽織袴の正装で、後の三人は黒い絹の羽織に黒の長い袴をはき、頭に黒の頭巾をかぶった黒ずくめのいでたちであった。

彼らはクィリナーレ宮の壁画に描かれていた人物であり、その後に、日本から執事として一緒にやって来たグレゴリオ・マテイアスが続いており、彼はイタリア風の縁に緑の縦じまのある、華やかな服装をしていた。

次に、二組の常長の従僕、茂兵衛、久蔵、藤九郎、助一郎が続いた。彼らは揃いの半被を着ており、その衣服に合わせて黄色と緑の格子縞の陣羽織を着ていた。一組は薙刀を携え、もう一組は長傘を携えていた。

そしていよいよ、白馬に跨った大使常長がやって来た。彼の左横には、教皇の甥であるヴィットーリ閣下が並び、その両側をスイス人衛兵とその馬丁が進んで行く。

常長は例の白と青の縫い取りのある豪華な衣服を身にまとい、それが碧く晴れ渡ったローマの空によく映えていた。

腰には金の房(ふさ)の付いた両刀を差し、襟には白いカラーをつけ、ローマ風の帽子をかぶっていたが、常長に敬意を表す群衆に対しては、丁寧に帽子を取り、にこやかに挨拶を交わすのであった。随員達も同じように群衆の歓呼に応えながら進んできた。

こうして紺碧のローマの空の下で繰り広げられた堂々たるパレードは、日本代表の外交使節に相応しく、伊達者と称された政宗の面目も如何ばかりであろうかと思われた。

因みに、日本では、どんな大名の行列の時でも、沿道の人々に笑顔を向けるということはしない。

しかし、ローマでの常長一行は、群衆の歓呼に一つ一つ丁寧に応えながら堂々と行進したのだった。このことは、三十年前にローマを訪れた『天正少年使節』の時とは、大いに意味合いが違っていた。

先の田中英道氏も『少年使節』の時は、イエズス会宣教師ヴァリニャーノの異国での彼の布教の成果と、『見世物としての少年達』という意味合いが強かったのに対して、今回の支倉一行の訪問は、一国の外国代表という意味を持っていた、と指摘している（前掲書）。

次に行列は、イタリア風に、上品に身なりを整えた二人の通訳がやって来た。一人はマドリッドから加わったシピオーネ・アマティ博士、もう一人は日本語の通訳モンターニョである。モンターニョは人生初の晴れの舞台で大得意である。

最後にやってきたのは、奥州国王の主任大使を自任するルイス・ソテロ神父で、ボルゲーゼ卿の馬車で、他のフランシスコ会の修道士達と共にやってきた。ソテロは遠慮深く、目立たぬように、他の神父達と一緒の馬車に乗ってやって来たのだった。

ソテロは、まだこういう所で目立ってはいけない、という立場を頑なに守っていた。これからが肝心と、彼自身に厳しい自制を働かせていたのである。

バチカンから終点のカンピドーリオ広場までの道のりは約二キロに及ぶが、常長が一歩一歩、階段を登る姿は、まるで古代の凱旋将軍のようであったという。カンピドーリオの最後の石段を登りきると、待ち兼ねたように教皇の侍従長オスタグートが両手を広げて常長を出迎えた。

こうして、ローマへの壮麗で栄光に満ちた入市式は終了した。恐らく、今までバチカンを訪れた使節の中でも、空前の盛大なパレードであったろう。

常長だけではなく、一緒に参加した随員全員も大きな感動と感激を味わっていた。当時、世界の中心でもあったローマの都で、日本から来た使節が一世一代の晴れ舞台を踏んだのであった。

パレードの中心人物ファシクラという侍の話は、各国の大使達の間にも大変に評判となり、その誠実な人柄と物腰は、人を引き付ける魅力があり、ローマの人達の心を捉えて離さなかったという。

パレードが終わった後も、代わる代わるローマの貴人達が常長を訪問したと記されている。

このことは、外交とは、単に条約を結ぶことだけが唯一の成果ではないということを示している。世界の国々に、日本という国情を広く知ってもらうことこそ、それ等を上まわる成果であろう。

さて、常長一行の『遣欧使節』成果のピークが、このパレードの成功までであったとは、まさか常長もソテロも知る由は無かった。全員、これから先の交渉も、更にうまく進むと期待に胸を膨らませたのであったが…。

ここまで話すと、常長は一息ついて周りを見回した。

周りの重臣達からは、感嘆のため息とともに、

「六右衛門、見事な引き回しじゃ」という称賛の声が聞こえてくる。

政宗も、

「うむっ六右衛門、良くやったわいっ」と、その隻眼を大きく開き、満足の表情を浮かべて肯いた。

石母田大膳景頼が常長の側に膝を進め、大きく頷きながら、

「さあ、続いて教皇との謁見について述べられい」と促した。
常長は、上座に向かい軽く一礼すると、再び話し始めた。

テヴェレ河とサンピエトロ大聖堂

盛大なローマ入市式が行われた三日後の十一月一日、大使と随員達は、教皇主宰のサン・ピエトロ大聖堂で行われるミサに招かれた。

使節に対するパウロ五世の親昵（しんじつ）は一通りではなかった。大使は随員達を伴い、ボルゲーゼ枢機卿差し回しの馬車で教会に向かった。やがて、豪奢な教会の前で馬車を降りると、粛々と大聖堂に入っていった。

一行が、その規模の宏大なのに驚いたのは言うまでもない。バチカンの象徴でもあるこの大聖堂は、一五九〇年に完成を見たが、当時でも世界最大の規模で、並みの大きさではなく、六万人もの人々を収容でき、床から見上げると、中心のクーポラ（大円蓋）までの高さは百三十メートルを超すという。

因みに、九州の四人の『天正少年使節』達も、ローマを訪れこの大聖堂の前に佇んでいる。

しかし、彼らは外交使節とは言い難く、単なる見世物として利用された『宗教使節』であった。彼らが描かれている絵や版画は一様に動きが乏しく画一的で、時の教皇やローマの人々に歓迎はされたが、その後、話題になることは少なかったという。

ただ、前述したが、彼らの果たした世界史的な貢献と言えるのは、天正十年（一五八二年）に長崎を出航し、西回りでインド洋を越えアフリカ南端を回り、ローマに到達していることである。

一方、慶長使節の果たした意義は、彼等とは逆に、東回りで太平洋を越え、さらに大西洋を越えてローマに達しており、地球が丸いという事を、同じ日本人によって実証したことである。

しかも、このことを、戦国の世が終わって間もない時代に、政宗が既に知っていたという事実に驚くのである。

ミサの後、教皇との公式謁見の日取りが十一月三日と決められた。

「文倉様、いよいよこれからが肝心なところです」

ソテロがそっと常長の側に寄り添い囁いた。常長は、これからバチカンで執り行われることに、益々、身が引き締まるのを感じた。

十一月三日の午後三時、常長一行は、ボルゲーゼ枢機卿差し回しの二台の馬車で宿舎のアラチェリ修道院を出発した。

この日は、常長も随員達も黒地に花や縞模様の縫取りのある、伊達な繻子(しゅす)の羽織を着用していた。

やがて、一行はサン・ピエトロ大聖堂に到着すると、侍従長コスタードの出迎えを受け、休憩の間に案内された。

常長は、そこで持参してきた例の白と青の縫い取りがしてある正装に改めた。着替えが終わると、再び侍従長より常長とソテロは、謁見室に迎え入れられた。

ただこの部屋は、政宗がまだ洗礼を受けていないため、正式の謁見の間『サラ・レジア（王の間）』ではなく、隣接する『枢機卿会議室』の部屋であり、正式な謁見とは認められていなかった。

（因みに、天正少年使節の時は、前教皇グレオリオ十三世の謁見は『王の間』で行われた。彼らの主君、有馬、大村、大友の各大名は既にキリスト教に改宗していたからである）。

これらの細かい経緯（いきさつ）は、イエズス会側の意向が大きく作用していた。「ハセクラは日本皇帝の正式な大使でなく、その臣下である政宗という一大名が派遣したに過ぎない。この使節は虚構である」と。

しかし、パウロ五世は、彼等の注進にもかかわらず、使節ハセクラを最大の好意でもって迎えた。強硬に『枢機卿会議室』という『王の間』に次ぐ最も重要な部屋を指定したのだった。

また、謁見時にはローマに滞在する枢機卿二十六人全て出席するよう求め、大司教、司教、教皇庁書記官が列座し、その他、僧侶や名門貴族、廷臣達も数多く出席するよう指示した。

パウロ五世は正式な謁見用の赤いビロードの祭服を身に着け、威儀を正し豪華な天蓋の下に座っていた。

やがて、常長とソテロは式部官に導かれ、あらためて教皇の姿を拝した。二人は、その尊い姿に、何かに打たれたかのように、心より敬意と恭順の意が湧くのを感じた。

二人は入り口で一度跪いてから、部屋の中央に進んで再び跪き、それから常長は作法どおり、教皇の足元に進んでその足元に三度接吻した。ついでソテロも同じように接吻した。

拝礼の儀式が終わると、常長は持参してきた金蒔絵の黒塗りの文箱を取り出し、中から美しい絹地の袋に入った、主君政宗からの二通の親書を取り出した。一通は日本語で書かれ、もう一通はラテン語で書かれたものである。

常長はそれを両手に戴くと、静かに日本語で語り始めた。彼の声は、水を打ったように静まり返った謁見の間によく響き渡った。

「此の度、恭しくも畏き教皇聖下に拝謁賜り、臣ドン・フェリッペ・ハセクラは感激の極みでございます。今日、日本より万里の波濤を越えて、王都ローマに参り、教皇聖下の御尊顔を拝し奉り、我が主君政宗の親書を教皇聖下に奉呈できました栄誉は、臣ハセクラの限りない喜びであり、故国に戻りましても大きな誇りであり、忘れられぬ生涯の宝となりましょう」と、読み上げていった。

無論、常長から発せられる言葉は、この異国では、誰も理解できぬ東北訛りの声音であった。しかし、常長が言わんとしていることは、同席している枢機卿や貴族、各国の大使達に、強い印象を与えた。礼儀正しく、しかも武士らしい、堂々とした常長の話しぶりは、居並ぶ周りの廷臣達にも感嘆の声を持って迎えられた。

常長が静かに語り終えると、それを傍らのソテロがラテン語に翻訳し、恭しく教皇聖下に手渡したのであった。

教皇は、全面に金粉の散りばめられた美しい書状を受け取ると、秘書官のドン・ピエトロに朗読させた。

その間、大使とソテロは、枢機卿等が座る長椅子の足元に下がり、胸に手を当て跪いて聴いていた。

親書の内容というのは、おおよそ次のようなものである。

「全世界の偉大にして、かつ、貴い御父（パパ）であられる教皇パウロ五世の御足を、恭しく尊敬の念を持って接吻しながら、日本国の奥州国王である伊達政宗が謹んで申し上げます」と始まる。

その概要は、先ず、自分はキリスト教徒になりたいが、ある事情により今はなれない、という言い訳を述べ、しかし、その内にと、相手の気を引いている。

次に、我が領国ではキリスト教徒を保護し、教会も建てるが、そこに、司教を一人送ってほしいと要望している。これはソテロの強い意向であろう。

次が、政宗の真の狙いであったのだが、キリスト教世界の最高権力者パウロ五世に、是非とも、メキシコとの交易が出来るよう、スペイン王フェリッペ三世を説得して欲しい、というものであった。

ローマ教皇並びに、世界最強国スペインと誼（よしみ）を結んでおけば、まだキナ臭さの残る国内状況の中で、いざという時、仙台藩は、幕府と対等な位置に立てる、と政宗は読んでいた。

一方、幕府もただうかうかと手を拱（こまぬ）いていたわけではなかった。慶長使節が出航して以来、キリスト教の禁教を強め、宗教を持ち込まないオランダとの関係を一層強めていた。

慶長使節への小寺外記の同伴は、言ってみれば、仙台藩の動向の監視とスペイン帝国の国情偵察の意味をも兼ねていた。護衛の瀧野嘉兵衛も恐らくその一人であったろう。

老獪な家康も重臣の土井利勝も、そのまま政宗の言葉を信じてはいなかった。政宗も彼らの意図を知りつつ、大きな枠で捉えて、彼らの援助を利用したのであった。

彼らの駆け引きの狡さと生々しさを、いやという程知らされたのは、当の日本人ではなく、南蛮人、すなわち老スペイン提督ビスカイノであった。

遠く離れたヨーロッパでの血みどろな宗教戦争の余波は、万里離れたこの極東の島国にも及んでいたのである。

家康は、この男を使えそうと思った時には、利用するだけ利用し、他にイギリスとオランダの代わりが出来るや、彼との約束は平気で反故にし弊履（へいり）のごとく路傍に捨てたのである。

ビスカイノにしてみれば、れっきとしたスペイン帝国の大使であるという誇りも身分も、紙切れのように踏みにじられ、水夫達の滞在費もままならなかった。

乗ってきたサン・フランシスコ号は浦賀沖で座礁し、今や彼の下には、補修の資金も無く、帰る当てさえ目途が付かなかった。

そんな時に、彼に手を差し伸べたのが政宗であった。政宗独自で、メキシコまでの船を自前で建造するという。正に、ビスカイノにとって渡りに船であった。

しかし、話はそう上手くは進まず、今度は、彼の前に若いくせに出しゃばりなソテロが立ちはだかることになった。ビスカイノにとって、通訳として常にソテロの同行が必要であったが、ビスカイノの言葉をソテロが何と言い、何と通訳しているかは彼には分らなかった。ソテロの存在は通訳としては有難いが、聖職者に似合わぬソテロがめぐらす策謀には疑心が増すのであった。

しかし、この時のローマでの親書を見る限り、後世、言われるようにソテロが好き勝手に書き直したというものではないようだ。教皇パウロ五世との厳粛な謁見の場で、常長とソテロの二人によって、真摯に心を込めて伝えられた。

常長としては、主君政宗の名代として、是非とも色良い成果を実現したかった。読み上げられた親書に対して、教皇は大層喜ばれて、秘書官を通じて次のようにお答えになられた。

「奥州王伊達政宗が受洗を志願し、臣民の間に信仰と真理を広めんと配慮し、遠国からわざわざ使節を遣わされたことを、教皇聖下は神に心から感謝しております。国王伊達が出来るだけ早く聖なる洗礼の泉水によって、白い服を着用することを切に望みます」と結んであった。

このような厳粛な謁見の場で、教皇パウロ五世から、直接の答辞を得られたことは、二人の大使が立派に大役を果たしたことがうかがえる。

当時の交通事情を考えてみても、東洋の果ての果てから、ローマの都まで辿りついたことは、それだけでも驚嘆に値する歴史上の偉業であったと言えるのではないか。

ただ、それ等とは別に、ソテロに対する批判と疑念はイエズス会だけでなく、ベネチア大使などからも向けられていた。

ボルゲーゼ卿もソテロを日本の初代大司教に任命するという要望に対して、彼の見えすぎる野心を指摘していた。その情報の一端を担っていたのは、メキシコ副王から潜り込まされたモンターニョであった。彼は副王やフィリッペ三世の名を使っては秘かにイエズス会の要人達と接触を謀っていた。

ともかく、大仕事を終えた使節一行は、ほっと一息ついた。ローマ入市式、ローマ市民の熱狂的な歓迎、次いで教皇パウロ五世との夢のような謁見を終えて、一行の喜びと感激は最高潮に達していた。

しかし、彼らの運命は、ここを頂点として少しずつ下降線をたどっていくのであるが、直ぐ目の先に不運が待っているとは、誰も知る由は無かった。

それから十日後の十一月十五日、常長の秘書官を務めていた小寺外記が洗礼を受けることになった。彼は日本を出航以来、常長の右腕として頼りにされてきた侍であった。伊達家の家臣ではなかったが、よく気が利き、幕府から秘かに指示を受けて、伊達家と何か縁のある小藩から選ばれたのであろう。

小寺は欧州上陸以来、念願であった洗礼を受けることに興奮していた。常長も、自分のことのように喜んだ。

小寺はまだ若いが、きびきびとしたその振る舞いには気品があり、教会の要人達にも受けが良かった。洗礼には常長も参列し、枢機卿チェザーレ・フェデリから洗礼の秘跡をさずかった。

洗礼名としてパウロ・カミロ・シピオーネ・ボルゲーゼが与えられ、パウロ・カミロ小寺外記となった。

同じ日の午後、ソテロは常長とは別行動で、トマス瀧野嘉兵衛、ペドロ伊丹宗巳、フランシスコ野間半兵衛の三人を伴って、教皇に拝謁を願い出た。

彼等は既に、キリスト教に改宗しており、ソテロの計らいで直接教皇に拝謁出来たのだった。

三人は教皇の前に跪くと、前もって準備していた『日本の切支丹書簡』や『畿内切支丹連署状』を奉呈し、日本の宣教状況や信徒の迫害事情などを説明し、教皇の支援を請願した。

「現在、日本には四十万人もの切支丹がおりますが、司教が一人しかおらず、言葉も通じず、告解（許しの秘跡）が十分に出来ない状況です。交易にも不案内なイエズス会の司教が立てられていますが、将来は大司教を一人定めてほしい」等、凡そソテロの意向に沿ったものが記されていた。

つまり、ソテロに近い誰かに書かせたものであろう。

もちろん、ソテロの日本上陸以来の活躍と布教活動を無視するわけにはいかなかった。厳しい禁教の環境の中で、長崎や大阪、京都、伏見、堺などの五畿内、そして江戸と、少しずつ信者を増やしてきたのは、取りも直さずソテロの功績であった。

その間に、秀吉による二十六人の信徒の処刑や、家康による弾圧、それに加えて、イエズス会の妨害などに阻まれ、ソテロの日本での布教の前途はまだまだ茨の道であった。

しかし、ソテロは行く手が厳しければ厳しいほど、目的に向かい、不屈の闘志を燃やす性格であった。ソテロのキリスト教宣教に賭ける情熱を測ってみれば、この時代の誰をも凌いでいたであろう。

その熱情に、教皇パウロ五世も打たれたに違いなかった。

しかし、当然ながらその成功の陰には、陰湿な嫌がらせと妨害が待っていた。

政宗は当初、メキシコとの交易を主眼に置いて、渡航先はメキシコまでとの予定であった。ところが、ソテロはビスカイノを上手にダシに使いながら政宗を説き伏せ、渡航先にスペイン帝国から、更に奥南蛮のローマの都へと変更させたのであった。

この変更は、政宗が帆船サン・ファン・バウティスタ号を建造するという計画を発案した時以来、ソテロが秘かに思い描いていた計画であった。願っても無い絶好のチャンスが巡って来たのである。

一方で、ビスカイノはソテロを介しての通訳に、少しずつ不信を抱き初めていた。日本人との幾度かの交渉を経るうちに、彼はソテロを自己の利益だけを図る狡賢い神父と思うようになり、そのまま本国に連絡したのである。

ソテロにすれば、日本に布教するという遠大な計画があった。キリスト教布教にとって、何よりも大きな希望であり、それを実現するための手管（てくだ）であった。それを己の野心と言われるなら、甘受しようと決めたことであった。

教皇からの返書

十一月十九日、ローマの元老院で機密会議が開かれ、常長とその随員達にローマの市民権を与える議案が検討され、翌日、正式に日本の使節に市民権を与えることが決定された。

十一月二十日、大使支倉常長へはローマ市民権と貴族位の授与、他の随員、野間半兵衛、瀧野嘉兵衛、伊丹宗味、小寺外記の四人にはローマ市民権が与えられた。

その他、通訳のシピオーネ・アマティ、マルティネス・モンターニョ、グレゴリオ・マチアスにも市民権が与えられた。

支倉使節一行は、ローマ帝国時代からの慣例と権威に則って、最大の歓迎で迎えられたのであった。

因みに、この市民権証書は、周りに美しい装飾が施され、ラテン語で書かれたもので、常長が帰国した時に、パウロ五世の肖像画と一緒に持ち帰ったもので、現在は仙台市博物館に所蔵されている。

ところが、事態は、教皇パウロ五世が一行に示した表面上の歓迎とは裏腹に、教皇庁は使節の請願と政宗の親書を、詳しく吟味検討した、別の返書を練り上げていた。

イエズス会からの陳情やポルトガル政府関係者の反対意見を充分に考慮したものになって、結局、教皇から発せられた返答は次のようなものであった。

一、政宗のキリスト教への改宗がすべての前提である

一、奥州への宣教師派遣については、どのような形にするかはスペイン国王との協議が必要である

一、日本での司教区創設と大司教任命は、まだその時期ではない

一、メキシコとの交易については、スペイン国王フェリッペ三世と交渉するように等々

これが教皇庁の限界であった。ボルゲーゼ枢機卿でさえ、これ以上の応援は無理であった。

この返答をソテロから聞かされた時、一瞬、常長は足が震え、眼の前が暗くなるような思いに駆られた。今まで気を張っていた力が、全身から抜けていくような気がした。ソテロも返書を胸の前に捧げながら、返答の意味を考えていた。

バチカンにとって、仮令（たとい）、世界のキリスト教の本山であっても、スペインとの交易の請願も、宣教師を日本に送る要望にしても、自前で太洋を渡って行く船も無ければ、船を操る航海士も持っていなかった。使節の要望は、全て、スペイン政府という俗態に属することなのである。

結論として、バチカンからの返答は、再度、スペイン政府と交渉するようにということであった。その上、教皇庁には、イエズス会やポルトガル大使を通じて、日本におけるキリスト教迫害の、ますます思わしくない状況が順次伝えられていた。

結局、この返答がバチカンの最終回答を意味していた。

教皇パウロ五世が一行に示した厚意は、確かに彼らの予想以上のものであったが、スペインとの国交樹立と、メキシコとの交易を夢見る政宗の大使としては、ここまでが限界であったろう。

しかし、常長一行の果たした外交努力が全て失敗であったかというと、決して一概には、そうとも言えない。外交交渉の成功や失敗は、こちらの言い分が全て通ることだけではないからで、相手との交流や友情を通じて、お互いの信頼関係が築かれることも大きな成果なのであるから。

教皇はこの親書の最後に、こう述べている。

「大使達の甘受した多くの労苦と危険、また勤勉に果たした任務が十分であったこと、さらに、それ以上に、彼らの行為の重要さを認めて、貴下（政宗）に推奨いたします」と。

ローマでの交渉に見切りをつけた常長一行が、再びスペインに向かったのは元和二年（一六一六年）の一月七日のことであった。教皇パウロ五世との最後の謁見は、出発三日前の年が明けた一六一六年の一月四日に行われた。

教皇へ別れの挨拶に参上した一行に、終始好意的であった教皇パウロ五世は、せめてもの餞別として、銀の十字架などの聖具類と六千ドゥカという多額の旅費を贈ったのであった。

ボルゲーゼ卿も、マドリードの駐在大使にわざわざ書簡を送り、常長達が到着したならば慈しみをもって迎える様にと書き送っている。

但し、ソテロについては、

「自己及び親族の利益のために甚だ熱心で周到。特に奥州の司教、あるいは他の教会の名義司教となることを望んでいる」と、不信感を露わにしていた。

ここに別の問題も持ち上がっていた。イエズス会がもたらした、新たな日本でのキリスト教徒迫害強化の問題、また、当時、日本を真っ二つにして戦われた大阪夏の陣後の、日本国内の混乱の情報が伝えられていたのだった。

さらに、日本での新興勢力オランダ、イギリスの台頭と、スペイン、ポルトガル勢力の退勢の実情も伝わっていた。

ローマ退去

ローマを発った一行は、再び、チヴェタヴェキアに向かい乗船、そこから北上し、リボルノに入港した。

常長は他の者を待たせて随員数名と共に、フィレンツェを訪れている。イタリアの大富豪メディチ家のフィレンツェ大公コジモ二世の招待に与(あずか)ったものである。

金融業で財を成したメディチ家は、十五世紀にフィレンツェの実質的な権力を握り、莫大な財力をバックに、画家や建築家を招いて、存分に彼等の腕を振るわせていた。

大公は一行を大歓迎し、記念のメダルと共に黄金の鎖や旅費の一部を贈ってくれた。

ルネッサンスの全盛時代を伝えるフィレンツェで一行が眼にしたものは、東洋の人々が、今まで誰も見たこともない、近代ヨーロッパの輝きであったろうか。

十五、六世紀のルネッサンスの黄金期は過ぎたとはいえ、蒼穹にひと際高くそびえるオレンジ色のドーモの屋根やサンジョバンニ洗礼堂、南側に聳えるジョットの鐘楼の建築群、シニョリア広場など見るべき名所は多く、フィレンツェの街を照らす輝かしい夕映えに、しばし時を忘れたであろう。一行の胸の奥を、今までに辿ってきた様々な旅路の影が、走馬灯のように彼等の胸を駆け抜けてゆく。

その中で、ローマを離れる時に、悲しいことが一つあった。イタリア出身の歴史家シピオーネ・

アマティとの別れであった。一行がローマを発つその日まで、親身になって彼らに寄り添い、ソテロと共に協力してくれた誠実な人であった。穏やかな風貌で、決して怒らず、一行のキリスト教に帰依したいという願望に、心から添いたいという善意から、彼らの行動を細かく記録してくれた。

その記録が、今日、一行の行跡を調べるのに、どれだけ役立っているか計り知れないのである。常長は、その無償の行為に、心から感謝の意を捧げ、深々と頭を下げたのであった。

そして、このフィレンツェにて、グレゴリオ・マチアスとも別れの時が来た。ベネチア出身の彼は、日本語に堪能で日本を出航以来、片時も離れず、常長の片腕としてソテロと共に常長を支えてきてくれた。

このフィレンツェの地から故郷のベネチアに帰るという。もう再び、愛する日本には戻らないという。

二十年余を日本で過ごし、ようやく自分の故郷がすぐ見えるところまで帰ってきたのである。今までの道程の、幾多の困難や海上での嵐の事を思えば、彼の生涯も一つの奇跡であろう。ベネチアは彼の生まれ故郷であり、そこで余生を布教に捧げたいという。また一人、常長の許から頼りにしてきた大切な人材が去ってゆく。

常長はベネチア総督に宛てて書簡を送っている。

「自分達は帰国の時期が迫り、ベネチアには行けないが、これまで労苦を共にしてきたマチアス氏が祖国ベネチアに帰ります。彼には日本を出航以来、私の片腕として大変にお世話になりました。

どうか彼には寛大に、そして最大の称賛を以て迎え入れられますように」

いよいよ別れの時に、マチアスは重大なことを常長に言い残していった。

「これが、最後のご奉公です」

マチアスは、常長との別れを惜しむかのように告げた。

「しばらくのあいだ、私は彼を監視しておりましたが…」と、そっと声をひそめた。

それはモンターニョのことであった。自分が教皇庁や各国の大使達と会った折に、彼についての悪い噂を二、三聞いた事があると言う。

モンターニョが秘かに訪ねてきては、使節一行の悪い噂を流している、というものであった。その折に、彼は情報と交換にお金を要求したという。

最後にマチアスは、大使の幸運と、

「くれぐれも、彼から眼を離さないように」と忠告して、別れたのであった。

フィレンツェからリボルノに戻った常長は、再び船上の人となり、ジェノバに向かった。しかし、ジェノバに到着するや、突然、常長は体調の不良を訴え、病に倒れてしまう。

今までの心労と疲労が重なったのか、あるいは道中、頼りにしてきた仲間である友が、一人も去っていった落胆からか、それとも信頼していたモンターニョの裏切りか、原因不明の高熱に襲われた。

常長の体調は回復せず、ソテロは早速、常長の病気の事や旅行続行の補助を訴える手紙をフェリッペ三世に出した。

「ジェノバに着いて、ほどなく大使は消耗を伴う三日熱にかかり、宿に伏せったまま、本日は五日目となります。彼は私がいなければひどく悲嘆にくれるため、また費用を割くだけの資金も無いため、国王陛下に直接申し上げます。もしも病気が長引くならば、資金を使い果たしてしまい、このまま先へ進むこともできないと、危惧しながら当地に留まっております」という内容で、当地での出費は莫大で、陛下の変わらぬ御慈悲と庇護を心から信じております、というものであった。この間、一行は一ヶ月以上も当地に留まっていた。

漸く常長の体調が回復し、一行がジェノバを出発したのは三月十日過ぎであった。向かった先は、往路でも世話になったバルセロナである。この地に上陸すれば、往路と同じコースでマドリッドに到着できる。

しかし、ソテロの書簡を受けたインド顧問会議は、使節一行の再マドリッド入りを許さず、そのままセビリアに直行させ、そこからメキシコ行きの船で、早々に退去させるべきである、とフェリッペ三世に奏上した。

時を同じくして、日本ではキリスト教徒迫害が日に日に強まり、教会が破壊されているという情報が、メキシコから帰国してくる宣教師達によって次々と報告されていた。

一方、ソテロが国王側に報告する、「奥州王政宗は家康の死を待たずに挙兵し、勝利の暁にはキリスト教界はいっそう栄えるであろう」とか、あるいは「教皇が大いなる満足をもって、陛下の御意向に沿う結果に至りました」などという内容は、顧問会議では絵空事と一切信用されず、ソテロの評判はますます堕ちる結果になっていた。

そんなこととはつゆ知らず、ソテロに率いられた一行は、マドリッド入りを強行する。ソテロにとっては、ボルゲーゼ枢機卿から預かった書類を、何としても教皇庁大使に示して、使節の請願の履行を懇願するためであった。

小寺は、今回のマドリッド入りの雰囲気を敏感に感じて、

「大使、以前の歓迎の時とは、街の様子が違いますね」と常長に告げた。

常長も、その異様な雰囲気を察したらしく、

「今度の我々のマドリッド入りは、あまり歓迎されていないようだが」と、率直にソテロに疑問を伝えた。

すると、ソテロは相変わらず自信に満ちた表情で、

「大使、ここからが大事なのです。そんな気弱な事でいけませんよ」と、反って常長をたしなめるのであった。

その間にも、インド顧問会議とイエズス会はソテロがジェノバから国王に送った書簡を具（つぶさ）に検討し、使節一行とソテロに対する対応を、国王に上奏していた。

ソテロは、マドリッドに着くと早速、バチカンの教皇庁大使を訪れ、ボルゲーゼ枢機卿からの書類を提出し、教皇が示した案件の履行を懇願した。そして、再び、ソテロは
「政宗は家康がいずれ死ぬのを待っていますよ」と、あからさまな虚言を言いだす始末で、さすが

にバチカンの大使も眉をひそめるのだった。

更に、王室への遠慮のない金銭の要求に対しても、何という文無しの使節かと、国王周辺の反感を買うことになり、ソテロが必死になればなるほど、反ってソテロ自身への不信感を増していった。

こうして、状況が好転せぬまま、常長一行とソテロ達は、首都マドリッドで、虚しく国王からの回答を待っていた。

フィリッペ三世は、望まぬ雑事に内心煩わしく思いながらも、ローマから戻ってきた使節一行に、表面上は歓迎の言葉をかけてくれた。

しかし、期待していた政宗への返答はなく、ただ、使節一行の此の度の訪欧は、貴国民の幸せに大いに寄与するであろうと、言葉だけの、彼らの偉業を讃える内容に終始した。

常長が大使として一番に望んだ、スペインとの国交樹立や交易には一切触れられていなかった。正式な返書は後に、日本のキリスト教徒の実情を見ながらフィリッピンで渡されることになるというのであった。

顧問会議の結論は、そもそもこの日本人に対しては、遠方より到来した外国人、という以外に自分たちにこれに対応する義務はなく、彼等の来訪自体が根拠に乏しく重要性がないというもので、国王側からは、旅費の支給の他はいっさい何も示されなかった。

「これをもって本件は落着とする」との決定が下され、「使節一行はすみやかにスペイン艦隊に乗り、帰国するように」という退去命令が伝えられた。

更に、顧問会議は追い打ちをかける様に、国王に上奏した。

「使節一行は直ちに出発し、此の六月末に出港予定のメキシコに向かうスペイン艦隊に乗船すべし」と。

ソテロはその通達を聞くや、

「我らにすぐさまここを立ち去れとか」とあまりの口惜しさに躰を震わせた。

常長も、この国王の手の平を返したような返事に、大きく期待が外れ落胆に沈むのだった。皆の疑惑の目はモンターニョに注がれた。

国王側の最終決定に、一行はマドリッドにこれ以上長く滞在することは許されず、五月初め、請願への一片の回答も得られないまま、再びソテロの故郷であるセビリアへ向かわざるを得なかった。モンターニョの役目は終ったのだ。一行に正体を見破られたモンターニョはいたたまれずマドリッドで出奔した。つまり棄てられたのだ。

モンターニョは出奔後、数ヶ月も経ずマドリッド郊外のヘタヘェに近いサン・ペドロ教会に埋葬されたという。死因は貧困による行き倒れであった。一方、セビリアや近郊のコリア・デル・リオに居残った日本人も数人あり、ハポン（日本）姓の先祖の可能性があるという。（注5）

（注5）スペインに残った人々（ハポン（日本）姓の先祖）
法王庁からローマ市公民権証書が与えられたのは支倉、小寺外記、野間半兵衛、瀧野嘉兵衛、伊丹宗巳等の八人であ

るが、常長の証書だけしか残っていない。後の七人は日本に帰らなかったためではないか。瀧野はセビリヤに残された裁判記録から残ったことが確認されている。

現在、スペイン側の歴史家や郷土史研究家達は、最終的に残留した日本人の数を八人としている人達が多い。

『ヨーロッパに消えたサムライたち』太田尚樹著（ちくま文庫）

第五章　政宗の対応

迎船サン・ファン・バウティスタ号、浦賀を出航

一方、この年の九月末（一六一六年）、浦賀を出航した迎船サン・ファン・バウティスタ号は、幾多の困難を経て五ヶ月余を費やし、翌年三月初めにアカプルコに到着したことは既に書いた。常長一行の出迎えを命じられた横沢将監らは、アカプルコに待機し、遅くとも来春初め頃までには、スペインから戻って来る六右衛門らを迎えることが出来るだろうと期待し、準備に余念がなかった。横沢は、当然この船を完全に補修して、再び太平洋を渡っていくつもりである。常長一行が、再び、アカプルコに来るまでには、これから、まだまだ時間が掛かるのである。

仙台城本丸孔雀の間は静まり返っている。常長は続けた。

「横沢殿が太平洋で悪戦苦闘して居られた時期に、拙者は未だローマからの帰途にあり、ソテロ神父の故郷であるスペインのセビリアにおりました。

しかし、この時点でも、スペイン国王との通商協定書は、まだ届いておりませんでした。なんとかこの地でと、待機していた次第です。そうこうしている間に、不覚にも拙者が体調を崩してしまい、また、神父も足の骨折に見舞われ、一年余りの長い逗留になってしまいました」

常長は、一呼吸置くと、上段の間の主君政宗の方に僅かに目を向けた。

そこには、八年前と少しも変わらぬ、精気に溢れた政宗の姿があった。大阪動乱から世の中も安定して、政宗は奥羽の雄として　これから如何に新しい国づくりを進めていくかという、歴史への転換点に立っていた。

元和二年（一六一六年）六月に家康が没し、二代将軍秀忠の代になると、基督教への風当たりは益々強くなっていく。

八月、幕府により基督教徒の渡来禁止令が出され、外国船の寄港地を長崎、平戸に限定する命が下される。

九月、秀忠により禁教令が布告され、カトリック教国スペインにとり大きな影響が及ぼうとしていた。

一方、この頃、関ヶ原動乱の後とて、スペインとの同盟を企図せんとする「政宗謀反」の噂が、まことしやかに江戸の町に流されていた。

政宗は腕を組んで、じっと常長の話に聞き入っていた。

「残念ながら」と、常長は改めて両手を付き、「国王から直接、通商承認の返書を受け取ることは出来ませんでした」と深く頭を下げて一礼した。重臣一同からも、ふーっと深いため息がもれた。

政宗は、強く脇息を引き寄せると、

「六右衛門、結局はこの交渉は失敗したのだな」と、常長の背へきつい調子で言い放った。

暫く、重臣達の居並ぶ大広間に沈黙が流れた。

「しかし」と、政宗は扇子を鳴らすと話題を変えた。

「もう一つ、そちに訊ねたいことがある」と、隻眼を光らした。

「わが伊達の黒船はどうしたのじゃ」

「……」

「何故、本船と一緒に我が領国へ帰らなんだ」と、語気を強めた。

「聞くところによれば、本船はスペイン艦隊に売却されたとか。ここに居る横沢も水夫達も皆、大いに反対したそうではないか」

常長は低頭していたが、やがてゆっくり頭を上げた。

「誠にもって、その件でございます」と、常長は一同を見まわしながら、静かに語り始めた。

船奉行の秋保刑部と河東田縫殿も、ここが肝心と、神妙に控えて聞いていた。

五十畳もあろうかと思える孔雀の間には咳一つ聞こえない。

しばらく沈黙の後、再び、常長が語り始めた。

「初めは、拙者もこの伊達の黒船、つまりサン・ファン・バウティスタ号で帰国するつもりでありました」

常長は、当時を思い出すように眼を瞬いた。

「アカプルコに着いてみますと、本船の破損は想像以上でございました」

しばらく重苦しい沈黙の空気が流れた。

「しかし、それ以上に我が殿が再び我々を迎えに来てくれたことに、随員一同、感激の声を挙げたことでした」

広間のあちこちでざわつきの声が上がると再び、しんとした静けさに戻った。

「ただ、この補修は、日本人乗組員だけではとても無理で、アカプルコ総督などから多大な援助を頂いた次第です」と、常長は一息に語り、横沢の方へ視線を向けた。横沢は腕を組んだまま、じっと前方を見つめていたが、その時、

「あいや、その事でござる」と、重臣たちの方へ躰を向けた。

「一言、拙者からも、お話し申し上げたい」と、横沢は胸を起こし、少し膝を進めた。

石母田大膳が大きく頷き、

「横沢、話してみよ」と言うと、横沢は膝に両手を控え、改めて重臣達の方に向き直った。

「今回、交易で得た売却代金は、現地では結構な大金でした。そのお金で本船の補修をすれば、というのが拙者の提案でありました。しかし、この提案は常長殿とマニラ総督に、あっさりと断られました」

それから、横沢は上目で常長を見るように続けた。

「既に二人の間では、別のところで本船売却の話が進んでいたように思えてなりませんでした」

この横沢の証言に、重臣達一同は一様にざわついた。

政宗は、脇息に凭れていた身体を起こすと、鋭い隻眼で常長を見つめた。

使節一行マニラへ

常長一行が、アカプルコに到着してから、更に、半年の月日が流れ、その間に、今述べたようなことが、色々と起こったのだった。

しかし、修理を終えたサン・ファン・バウティスタ号は元和四年（一六一八年）三月七日、アカプルコを出港し、途中、何事もなく六月二十日、無事、マニラに着いている。

「今、横沢が言ったことに対して、六右衛門はどう思うのか」

奉行茂庭周防が少し興奮したように声を上げた。周防は父茂庭綱元の後を継ぎ、この時、奉行職に就いている。

常長は、横沢の言い分を、きっぱりと否定した。

「われわれが所持を許された件（くだん）の金銭は、既に、その多くは日本に持ち帰る物資の購入に充てられており、また本船の補修の材料調達にも使用されておりました」と、常長は少し語意を強めた。

それからゆっくりと政宗の方に眼を向けた。

「拙者とて、この黒船で日本に戻りたい気持ちはやまやまでした。しかも、この交易には、ルソン（フィリッピン）の新総督になったファーハルド閣下が大きな権限を持っておりました」

茂庭周防と横沢が、じっと常長の口元を見つめている。

常長は一呼吸するると構わず続けた。

「何としてもこの交易を実現させることが、また、拙者に託された使命でもありました。幸い、ファーハルド新総督は、拙者を大層気に入ってくれました。これから先、どう進めるべきか、いろいろと対策などお話しした次第でした」

大航海時代について

さて、ここまでの話は一旦置いて、この時代の、支倉常長がメキシコへ派遣された頃のスペインと、その周りの国々の情勢を概観してみると、フェリッペ二世のもとで全盛期を迎えたスペインのハプスブルク家は、一五七一年、レパントの海戦で、当時、地中海に覇を唱えていたオスマン帝国の海軍を見事に破った。

こうして王は、一旦オスマントルコの脅威を和らげると、キリスト教世界の救世主として一五八〇年、ポルトガルの王位も継承し、そのまま彼等の海外植民地も手中に入れ、東南アジアと中東の富を独占する。いわゆる『太陽の沈まぬ国』を実現していった。

その一方で、毛織物業と中継貿易で力をつけてきた、新教徒カルバン派の多いネーデルランド（オランダ、ベルギー）へ一万人の軍隊を送り、弾圧と重税を課すなど属領支配を強化していく。

フェリッペ二世は、自らも敬虔なカトリックであったため、この地にカトリックを強制、オランダの商工業者を弾圧していった。

それらはやがて全欧州を巻き込む血みどろの宗教戦争に発展し、オランダではオラニエ公などを中心にした抵抗運動が始まり、オランダ独立戦争へと進展して行くのである。

同じ頃、イギリスでは、イングランドとスコットランドの間で王位継承問題に絡んだ血なまぐさい事件が度々発生した。

ヘンリー八世の宗教改革によって、新教国家となっていたイギリスは、一五五三年に即位した女王メアリー一世が旧教徒であった為、彼女がフェリッペ二世と結婚したことにより、イギリスでは再び旧教が復活する。そしてメアリー一世が一五五八年に死去するまで、フェリッペ二世はイギリスの共同王でもあったのである。

しかし、後を継いだエリザベス一世は異端のプロテスタントで、カトリックの中心人物とみなされたスコットランド女王メアリー・スチュアートをエリザベス一世暗殺の関与で捕えると幽閉、あろうことか一五八七年に彼女を処刑してしまう。

ここに、メアリーをイギリス女王位に就けようとしていたフェリッペ二世の目論見は、謀らずも挫折してしまうのである。

その一方で、イギリスの私掠船(しりゃくせん)(国家の免状を与えられた海賊船)は、スペインの目ぼしい植民地を度々襲撃し、当時、最大の交易品であった銀や香辛料を運ぶスペイン船を襲うなど、略奪行為を繰り返し行っていた。

堪りかねたフェリッペ二世は、何度か海賊行為を取り締まるよう申し入れたが、エリザベス一世は取り締まるどころか、却って、裏で海賊行為に加担していたことが判明する。

その上、イギリスはオランダの宗教戦争にも介入、新教国を積極的に支援する。遂に、フェリッペ二世はエリザベス一世のプロテスタント体制を倒すべく、イギリス侵攻を決意する。

一五八八年五月、スペインは、当時、世界最強と言われた無敵艦隊（アルマダ）を送ったが、英仏ドーバー海峡アルマダの海戦で、海賊船の首領フランシス・ドレークの指揮するイギリス海軍に敗北、スペイン帝国も次第に凋落が始まり大西洋の制海権を失っていった。

この海戦に勝利したイギリスは、その後、インド洋からアジアへと貿易網をひろげ国力と富の蓄積を図って行くのである。ポルトガルを嚆矢（こうし）とする『大航海時代』というのは、まだ地図上に書き込まれていない未発見の土地や島は、最初に発見した国の領土となるとされていたため、船乗りや冒険家達は争って富と財宝を求め、大海原の彼方に乗り出していった時代であった。

キリスト教の布教と宣教師の派遣は、そのための重要な手段でもあった。支倉常長達がサン・ファン・バウティスタ号で太平洋を渡っていった時の、世界の状況というものは以上のようなものであった。

繰り返される襲撃に備え、アカプルコやマニラの港でも、砦は海賊船の襲撃を警戒して、石造りの頑丈な要塞に造りかえられた。

支倉常長と一緒に太平洋を渡ったビスカイノ提督は、このスペイン無敵艦隊の生き残りでもあった。

サン・ファン・バウティスタ号の譲渡

さて、再び仙台城の大広間に戻ろう。

政宗も重臣達も、固唾を飲んで、常長の次の言葉を待った。

常長は再び静かに語り始めた。

「その時のマニラの港の様子は、ただいま申し上げましたとおり、街全体がオランダ船隊の襲撃に備えて大変緊張しておりました」

大広間の障子を透かして陽の影が斜めに射している。時折、御裏林の方から蝉の声が微かに聞こえてくる。

「メキシコからマニラまでは横沢殿の差配とスペイン人船員の操船にて、何事もなく無事着くことが出来ました。この航海の間、拙者の第一に心に掛かっていたことは、スペイン国王の返書が無事マニラに届けられることと、その内容でありました」

重臣達は神妙に、常長の次の言葉を待った。

「一方、ファーハルド総督は昨今のイギリス船やオランダ船による頻繁な港湾襲撃や商船への海賊行為を大変憂慮されており、航行中も、わが伊達の黒船の大砲には、砲弾を怠りないよう、船員達にはいつでも撃てるように、常に気を配っておりました」

常長は一息置いた。それから大きく息を吸い込むと、

「実を申し上げますと、ソテロ神父は、アカプルコを出港する前に、サン・ファン・バウティスタ号を新総督に提供する方が良い、という提案を拙者に持って参りました」

一瞬、孔雀の間に緊張が走った。

「神父が申しますには、現在、スペイン国王側は度重なるオランダ、イギリスとの戦いで、国庫の財政が逼迫して困っている。また、近々オランダ船隊がイギリスと組んでマニラを襲う恐れがある。しかし、スペイン船隊は船舶が不足していて、彼らに充分対処できない状況である。そこで、サン・ファン・バウティスタ号を提供して国王側に大きな恩を売りつけ、その見返りとして交易の承認をもらってはどうか、ということでした」

常長は、ここで少し顔を上げると、ゆっくりと左右を見渡した。

「どちらにしろ、ファーハルド新総督との友好関係をこのまま維持していくことが肝心でありました」

常長が、ここまで話してきたとき突然後ろの方から、横沢が口を開いた。

髭面の顔を横に振り、上唇をぺろりと舐めると、重臣達の方へ向かって良く響く声で言い放った。

「拙者は、その件については、何一つ、伺ってはおりません。ソテロ神父が言うには、全てはうまく進んでいるということでありました」

横沢は続けた。

「ですから、われわれの出来ることは、わが伊達の黒船を修繕して、ルソンへ向かうことでした。ルソンへの航海途中、六右衛門殿は、我等一同、無事この船で帰国したいものじゃ、わが殿初め、皆の顔を早く見たいものじゃと何度も言っておられたではありませんか」と言うと、横沢は常長の方へゆっくりと視線を移した。

「六右衛門、今の、横沢の言った事は真か」

茂庭周防が、確かめるように問うた。

しばらくして、常長が答えた。

「真でございます」

すると、すかさず横から声が飛んだ。

「然らば何故、わが黒船を途中で手放したのじゃ。あの船には、わが藩の船大工の技術の粋が詰め込まれておったのじゃ」

船奉行の秋保刑部が鋭く詰め寄った。

常長はしばらく低頭したまま沈黙した。

すると、石母田大膳が、おもむろに懐から四つに折られた書状を取り出した。

「お主が、マニラから息子勘三郎に出した書状が、ガルペス神父に託され、ソテロの書状と共に、わが殿に届いている」と、石母田は書状を高く掲げた。

「ここには、確かに来年六月には、船などこしらえて帰朝したいと書かれてあるが、これは新たに船を造るということか」

石母田が掲げた書状は、一行がマニラに到着して、わずか三日後に出されたものである。

宛名の処に、息子常頼の名である支倉勘三郎殿と書かれ、日付は元和四年六月廿二日と認められた。

重臣達は、一様にどよめいた。

「ということは、この書状が書かれる以前に、既に黒船の売却、あるいはスペイン艦隊への譲渡が決まっていたのではないのか」

もう一人の船奉行の河東田縫殿が問い詰めた。

常長は視線を少し上げ、正面の政宗の顔を僅かに眼の端に捉えながら答えた。

「息子に宛てた書状を、よく御覧ならればお分かりのように、我々がマニラに着いてすぐ、日本に向かう便船が三日後に出港するという。さぞかし、息子達も心配しているであろうと、ごく簡便に書いたものであります」

秋保と河東田が尚、不審そうに眼を合わせた。

「では、日数が足らず、というのは新たな船を造るということではないのか」

河東田が再び問うた。

「拙者も、大変迷いました。船をこしらへと書いたのは、本船の修繕もありうるということです」

常長の言葉に、一同、再びざわめいた。

常長は、一同の静まるのを待っていた。

常長は、その時のことを思い出すように視線を宙に浮かせた。

「マニラに着いてみると、街の様子や人々の様子が、何かにおびえるかのように、大変落ち着きがありませんでした。総督にお聞きすると、近じか、オランダ艦隊が、大挙して、この港を襲撃してくるということでした」

常長は続けた。

「そういう訳で、是非、貴殿のサン・ファン・バウティスタ号を、わがスペイン艦隊にお譲り願いたい。是非とも我が艦隊にお力をお貸し願いたい」と総督より、何度か常長に提案があった。が、その都度常長は、とにかくマニラに着くまではと、返事を延ばしていたのであった。

一方ソテロは、国王の返書を持参しているということを盾にとり、フランシスコ会の権限の強化と、強引にセミナリオ（神学校）の設立を図ったりして、他の修道士達から煙たがれている存在であった。しかも、日本での司教の位を得ようと、あちこちに画策しているとの噂がたてられていた。

「拙者は、決して初めから、サン・ファン・バウティスタ号の譲渡を意図していた訳ではありませんでした」

常長は、何度もマニラ総督府に足を運んだ。しかし、その都度、結果は同じであった。

更に、別の問題もあった。

サン・ファン・バウティスタ号の修繕に時間が掛かること。伊達の黒船とはいえ、太平洋を二度横断してきて、さすがに船体の舷側や船底、船蔵などに損傷が見受けられ、このままでは、次の航海には甚だ危険であったのだ。

　ある時、総督から大変好意的な申し出があった。

「サン・ファン・バウティスタ号を取敢えず、オランダの襲来に備えて我が艦隊にお貸し頂ければ、これから生じるあらゆる損害と損失を弁償しましょう」というものであった。常長一行はもちろん、横沢はじめ水夫達も「そういうことなら、我々も協力するに吝かではない」と、この総督の提案には歓迎を惜しまなかった。

政宗の対応

「それにもう一つあります」と、常長は上段の間に、わずかに視線を上げた。

　常長は肩で大きく息を吸い込み、

「わが殿から、このマニラの地にて少し待て、とのご指示がありました。今、我が国では、幕府による切支丹への風当たりが強い。それらが落ち着くまで暫く待て、というものでした」

　常長達がマニラに着いたのが、元和四年（一六一八年）六月二十日である。その三日後（二十二日）に、常長は息子勘三郎宛てに手紙を出している。

　この手紙によって、常長一行のマニラ到着を知ることになった政宗は、早速、その内容を、幕府船奉行向井将監忠勝に報告するとともに、当地での常長一行の安否を尋ねる早飛脚を差し向ける旨を伝えたのであった。

政宗の書状が出されたのが、八月二十三日で、この辺りの政宗の対応は極めて早い。

しかし、マニラに差し向けた早飛脚というが、本当の飛脚便が届けられたかどうか、あるいは実際は、政宗の意を含んだ人物であったかは、『政宗君記録引証記』には残されていない。不明のままである。

恐らく、幕府による切支丹迫害の実情を伝える文章が、そのまま残るのを嫌った政宗が、敢えて口頭で伝える人間飛脚の方を選んだのではなかろうか。

もし、政宗の直筆がそのまま幕府に知られることになれば、そうでなくとも政宗に向けられている疑心暗鬼というものを、ますます増長させる結果になってしまうからである。

戦国の世という荒波を用心深く、しぶとく、したたかに生き抜いてきた政宗という男の用意周到さであろうか。

口頭で伝えられた事柄には、日本国内での伴天連迫害の現状が詳しく伝えられたのであろう。加えて、

「その時節が到来する時まで、辛抱して当地で待て」と。

止むを得ず、常長たちは、サン・ファン・バウティスタ号の譲渡交渉や修繕に月日を費やしながら、各人各様マニラで過ごすより他はなかった。日中はソテロが用意してくれたフランシスコ会の

修道院で暮らす毎日であった。

総督が言うには、近々、オランダ船隊がセレベス海を北上し、ミンダナオ島沖へ向かってくるということであった。

「この海域一帯の制海権をオランダに奪われたら、あなた方も、日本へは帰れませんよ」

そして、こう付け加えた。

「国王からの返事が、まだ十分でないのなら、私の方からも、もう一度催促してみましょう。その時に、皆さんの今回のご厚意も付け加えましょう」と。

本船の船底や船縁の修繕は、日本の水夫だけでは、遅々として進まなかった。しっかりとした艤装には、どうしてもスペイン人の力が必要であった。

一方で、総督の態度は大使一行に対しても、水夫達に対しても大変友好的なものであった。

此の度、総督より是非、サン・ファン・バウティスタ号を貸してくれまいかと懇願されたと、常長は宿舎に集まってきた横沢初め、水夫達に説明した。

宿舎の中は静まり返っていた。ややしばらく時が過ぎた。

やがて、ついに横沢が苦しげに口を開いた。

「これからも総督のお世話にもならなければならない…」

と、皆の同意を求めると、

「むむっ、やむを得ない」

という声があがったのである。

この話し合いが持たれてから、数日して、ある日の霧の立つ払暁(ふつぎょう)、サン・ファン・バウティスタ号はスペイン艦隊に合流すべく、静かにマニラ湾を出航していった。(注6)

さて、常長一行が仙台に帰朝した頃に戻ろう。

仙台藩において、正式に基督教禁止令が出されたのは、常長が仙台に到着したのとほぼ同時期の、元和六年(一六二〇年)八月二十六日のことであった。

それまで小規模ながら、仙台領内で切支丹狩りが始まっていたとはいえ、大した規模ではなかった。

しかし、家康亡き後、二代将軍秀忠の代になると、キリスト教への弾圧は、全国的に広がりを見せ、ますます厳しさを増し、一方で、違反したキリスト教徒や宣教師は見せしめの為に処刑され、改易や国外追放される大名が相次いだ。

政宗といえども、将軍直々の通達には逆らうことは出来なかった。

いつ何時、火の粉が自分の身に降りかかってくるとも知れなかった。

常長一行が、幕府の意を含み、南蛮へ派遣されたとはいえ、異国で洗礼を受け、切支丹として帰国した常長を大っぴらに迎えることは、一つ間違えば、仙台藩の命運にかかわることでもあった。

政宗は悩んだ。

しかし、このますんなりと、切支丹を受け入れることもできなかった。

じっと常長の話を聞いていた政宗が、ここでようやく口を開いた。

低く錆びた声が、上段鳳凰の間に重々しく響いた。

「六右衛門、この度の南蛮への遣い、誠に大儀であった」

一見、これは労をねぎらう主君政宗の直の言葉であった。

しかし、常長にすれば、主君のこの一言が、なによりも身に染みるのであった。この八年にも亘る歳月、この一言の為にこそ、幾たびも折れそうになった我が心に鞭打ち、逆巻く荒海にも耐えてきたのである。なんとしても日本に戻り、我が主君に見（まみ）える迄はと願った。この一念だけが、常長を生かしてきたといっていい。

しかし、次の政宗の一言は、これから先に待っているすべてを悟らせるのに充分であった。

「そちの留守の間に、我が国をめぐる状況は、すっかりと変わってしまったのだ…」

そして、政宗は被せるように続けた。

「この国では、切支丹では生きられぬと言うことじゃ」

政宗の声が一段と鋭く大広間に響いた。

常長の肩が一瞬大きく揺れた。

政宗は常長を見据えたまま常長に語りかける様に続けた。

「儂が十日の間、そちに会わなかった訳が分かるか」

「……」

「もし、帰国したそちを直ぐに迎えたならば、それは御公儀の手先や、潜伏している神父らにも伝わるであろう」

大広間には時折、御裏林(おんばやし)から蝉の鳴き声が聞こえるだけで、重臣達は静まり返っている。

政宗は常長を労(いたわ)るように続けた。

「分かるか。六右衛門、時勢が変わったのじゃ。今は、そちを表面切っては歓迎出来ぬのじゃ」

こう言うと政宗は、ゆっくりと脇息に凭れた。

常長は無言のまま動かない。

政宗は、横沢の方に視線を向けると、再び問うた。

「そちを迎えにやった横沢も、此度は大変な苦労を重ねて帰ってきた。しかも、ノビスパニア（メキシコ）で、お主と同じ基督教の洗礼を受けてきたそうだが、儂のたっての頼みで、既に、棄教の意志を儂に示してくれた」

政宗は辺りを見回すと、

「どうじゃ六右衛門、もし、そちがただ基督教を棄てると言えば、先の実父常成の罪も所領も全て、生前同様に回復しよう。そして、それら全てを此度の報奨として、そちに進ぜよう」

政宗は常長の性格を知りぬいている。この男はまだまだ使えると読んでいた。

「以前のように、儂の力になってはくれまいか」と言うと、政宗は脇息から肘を外し、席を立った。

重臣達もぞろぞろと後に続いた。広間に大勢の衣擦れ音が響いた。

一人残された常長は、主の居なくなった上段の間の、金地に鮮やかな色彩で彩られた鳳凰が舞い遊ぶ床の間を見つめていた。

孔雀の間は静まり返り、遠くで蝉の鳴く声が聞こえていた。

（儂は何の為に、遠い南蛮国まで遣わされ戻ってきたのじゃ）

常長は喉の奥から絞り出すような声で独りごちた。

（儂の長い旅はいったい何のためであったのか）

常長の頬を無念の一筋の涙が零（こぼ）れ落ちた。

（注6）サン・ファン・バウティスタ号のその後の行方と終焉
同船は欧州からメキシコへ戻った常長一行を乗せ、二度目の太平洋横断を果たし、一六一八年八月にマニラに入港。間もなくスペインに譲渡されたが、その後の消息は不明であった。この度、米歴史学者キャサリン・ナイト氏から新説が提起された。その説によれば、同船はアフリカ人奴隷の輸送に転用され、同船が別の目的地に運ぼうとした奴隷が海賊に強奪され、この時に上陸した彼らの一部が米国の入植と建国に従事した最初の黒人となった。結果的に同船は米国開拓史に重要な役割を果たした。

『県慶長使節編』浜田直嗣ミュージアム館長談（河北新報社）

第六章　常長の最期

常長、実家へ戻る

支倉六右衛門常長の知行地と言われるものは、岩手県下伊沢小山村（現奥州市）に五百二十石と宮城県川崎町や大郷町あるいは大和(たいわ)町に六十石余、合わせて六百石と言われている。帰国後、常長が何処に帰って静養したかは諸説あるが、その頃、母親や息子達が住んでいたと言われる大和町吉田の西風(ならい)が相当ではないかと思われる（郷土史家、佐々木和博氏指摘）。

この場所は、実父常成が住んでいたとされる黒川郡大森（その後、富谷に移ったと言われる）の居住地にほぼ近い所に位置している。またこの地所は、政宗が新たに常長に知行地として与えたとする、「仙台城に通える三マイルの地」というアンジェリス神父の書簡とも一致する。

それに、佐々木氏が調査した常長の墓の研究が、中々納得のいくもので、藪に覆われたその場所には、今も墓碑銘が不鮮明ながら、苔むした三基の墓が眠っている。

巷間、支倉常長は罪人の息子であり、遣欧使節の人選は縁座制という当時の慣習で追放処分になっていた常長の贖罪的人選だと言われることもある。

しかし、その見解も次の説から見て、おそらくは当たっていないであろう。

「莫大な経費と労力を費やして派遣する重要な使節の大使を、それだけの理由で決定したとは考えにくい」（元仙台市博物館館長　佐藤憲一氏）。

戦の絶えない戦国の世にあって、常長は若い時から政宗の親衛隊の一人として、持ち前の粘り強い能力と精神力を発揮した。彼の冷静で沈着な素質を早くから見抜いていた政宗は、たとい南蛮国という異郷にあっても、常長なら十分その役目を果たしてくれると大いに期待し、一躍大使に抜擢したのである。

国外での交渉事などは、先の朝鮮出兵（文禄の役）の時に、既に経験済みであったことも大きな力となった。

ところが、常長にまつわる大使抜擢の疑惑は、先にも少し触れたが、最近発見された政宗の自筆の手紙によって、複雑な様相を示すのである。

その手紙と云うのは、政宗から奉行茂庭石見に出されたもので、実父常成が不届きを働いた故切腹に処するという内容で、その子常長の死罪は許すものの、領地没収のうえ追放というものであった。

「六右衛門も、父が政宗の資産に関して、数々の詐欺を働いた罪によって斬首になるところだった。しかし、政宗は彼が外国の旅の途中で死んでしまい、二度と日本に帰ることは無いだろうと考え、死罪の代わりに大使役に任じたのだ」

これは後年、イエズス会宣教師のジェロニモ・デ・アンジェリスが本部に送った報告書であるが、この手紙の内容が、以後の贖罪的抜擢の通説となって世間に広まったのであろう。

しかし、常長自身に罪はなかったのだ。

また、使い捨ての身分の低い侍であったという通説も当らない。常長の当時の知行高は六百石であり、仙台藩においても、当時の他藩の上級武士に比べても遜色ない石高なのである。下級武士どころか、機転も効き、才覚もある中級以上の立派な武士であった。

この時、政宗の胸には、当然（今、この男を掬い上げれば、この困難な任務を全力でもって遂行してくれるだろう）という計算が全くよぎらなかったとはいえまい。

こうした政宗の遠謀により、常長の没収された領地六百石は間もなく回復される。同時に、実父常成が住んでいたとされる黒川郡富谷の土地も回復されることになった。

後年常長の嫡男常頼は切支丹の嫌疑を受けて切腹を命じられ、支倉家は改易となるが、この時、常長が南蛮から持ち帰った聖遺品が常長の死後二十年間、この支倉家に保管されていたことが評定方の役人によって発覚した。

つまり、この土地と家には、当時常長の一族郎党が暮らし住んでいたという紛れもない証であろう。

長い申し開きの後、自分の屋敷に戻ってみると、常頼初め、一家総出で常長を迎えた。どれも常長を心配する暗い表情に覆われていた。

「父上、如何でございましたか」

常頼が、いの一番に尋ねた。

「別状ない。皆の者、心配するな」

常長はいつもと変わらぬ表情で答えると、そのまま母屋の敷居を跨ぎ、土間から囲炉裏の首座へどっかと腰を下ろした。

やはりここへ座ると落ち着く。その周りを常頼、伯父の時正、二男の権四郎が囲み、板の間では母親、妻女トメ、家夫たちが不安そうに見守っている。

常長が南蛮国より帰国したという知らせは、近隣の在郷にも知れ渡っており、百姓達は是非とも、話を聞きたいものだと屋敷に集まって来ていた。

今はまだそういう時期ではない、と家人が何度断っても、なかなか聞き入れてはもらえず、入れ替わり立ち替わり支倉の家に尋ねて来るのであった。

近隣の百姓、町人にすれば、足掛け八年も掛けて、突如、南蛮国より帰国した常長は、言ってみれば、生き仏の再来のようにも思われた。

常長がローマで洗礼を受けてキリスト教信者になったことは、既に領内の信者はもちろん、そうで無い者でも皆周知のことであった。

後藤寿庵とカルバリヨ神父来る

その日、陽が暮れてから密かに同僚の後藤寿庵がデイオゴ・カルバリヨ神父を伴い尋ねてきた。二人は目立たぬような黒服を着ていた。

常長と寿庵は以前からよく知っている間柄であった。今回の遣欧使節の大使抜擢にあたり、切支丹である寿庵の推薦も大きな力になったのである。

カルバリヨ神父の紹介も済むと、寿庵が静かに政宗の様子を問うた。皆、燭台の薄明かりの中で息を潜めている。

寿庵は、領内で誰も知らぬ者の無い切支丹侍である。彼は秀吉の奥州仕置の際に、主家の没落にあい、一時、諸国を流浪したが、最後には西国の長崎にたどりつく。そして、その地で異国の文化に触れ、キリスト教の宣教師らに出会い、キリスト教の教えに帰依したのである。

彼が長崎で学んだものは、キリスト教の他に、外国語、異国の学問や鉄砲、土木技術など多種にわたっていた。やがて故郷に戻った寿庵は政宗の知遇を得て、見分の地（現岩手県奥州市）に千二百石の知行を与えられたのである。

因みに、寿庵が行った事業というのは、当時、長崎で学んできた珍しい工法を駆使した知行地の水田開発で、現在も『寿庵堤』と呼ばれる用水路が残っている。

政宗の信任も殊のほか厚く、彼の温厚な人柄は、多くの領民に慕われ彼に寄せる領民の信頼は絶大であった。

「ところで、殿は何と仰せなされたか」

寿庵は再び問うた。

常長はしばらく燭台に灯る火を見つめていたが、やがて、ぽつりと口を開いた。

「拙者に棄教せよとのことであった」

「やはり、そう仰せられたか」

寿庵は軽くため息をつくと、カルバリヨ神父の方へ眼を向けた。

神父が常長の側へ静かに寄った。

「それで六右衛門さんは何と答えられましたか」

所々、アクセントが異様な日本語で神父が尋ねた。

囲炉裏の火が、てらてらと常長の顔を照らしている。

「儂はずーっと黙していた」

ぽつりと常長が言った。

神父はほっとしたように胸をなでおろした。周りの人達も、一様に安心したようであったが、

「しかし、政宗殿はあなたが帰国するや否や、領内に禁教令を出したのです」

神父は残念な表情を浮かべて言った。

「そして、私達、基督教徒に迫害を加え始めたのです」

「もう、あちこちで探索の手が回ってきている。この家も見張られているかもしれません」

寿庵が神父の後を引き取り、続けた。

「実は、お主が帰国する前から既に、切支丹狩りが始まっている。昨年暮れには、不審火から拙者の仙台屋敷が焼かれ、つい先日は、水沢の儂の所の領民が仙台に連れてこられて取り調べを受けた。

恐らくは、奉行茂庭周防殿の手のものであろう」

茂庭周防は、父石見が仏教に帰依すること厚く、藩内きっての反切支丹派の奉行である。

「私達への弾圧は益々厳しくなるでしょう」

カルバリヨ神父が心配そうに繰り返した。

「それから政宗殿は他に何か言いましたか」

神父が、再び問うた。

しばらく間を置いた後、常長が答えた。

「棄教の意志が固まったなら、もう一度会おうと」

寿庵が次の言葉を見守るように常長の顔を覗き込んだ。

「そして、それから何と言いましたか」

神父は畳みこんで問うた。

「お主を失いたくは無いと…」

常長はぼそりと言うと腕を組んだ。

神父が寿庵の方へ振り返った。寿庵も常長の声を聞いていた。

家族の者達も暗がりの中で顔を寄せた。

寿庵が常長の居る囲炉裏の傍に擦り寄った。

「家族の者も、皆心配で不安であろう。しかし、これを決めるのは常長殿、お主だけだ。お主が自分の考えで決めることだ。我々はその事に口は出さない。もし、お主が棄教されたとしても、我々は、その事を非難はしないだろう。すべては神のご意志なのだから」

常長は無言であった。

しばらくして、寿庵はカルバリヨ神父の方へ頷くと、ゆっくりと立ち上がった。神父も続いた。

それから、再び常長の方に向き直ると、はっきりと、

「ただ、拙者は信仰を貫くつもりだ」

静かにこう告げると、神父と連れ立ち戸口へと立った。

土間に下りると、板の間に座っている一同の方へ振り返り、

「六右衛門殿、まだ時間はある。ようく落ち着いて考えられるように」

そう言うと、二人は闇の中に消えていった。

常長の回想

翌日になると、また近所の百姓や女房達が常長の話を聞きにやって来た。どの男も女も、皆、着た切りの継ぎの当たった貧しい身なりの百姓達である。

帰国してからも常長は、朝夕の主への祈りは欠かさなかった。祈りの時は、独り奥の座敷に籠もりロザリオを手に、持ち帰ったマリアの聖母像に手を合わせるのが日課であった。

自分が今、ここにこうして無事で居られるのも、いつも救ってくれた祈りであった。

このような気持ちは、日本を出てゆく時までは、一切経験しなかったことであった。まだ『主』と言うものが何者であるかも知らず、また、その必要もなかったのだ。

常長の人生の最大の目標は、何にも増して政宗という大将の役に立ち、その下で功名手柄を立て、一刻も早く一人前の武将になることであった。

その為にこそ、政宗の下知の許、荒野を駆け巡り、城を攻め、齢四十の歳になるまで、一心不乱に手柄と功名を追求してきたのであった。思えば、若い時から主君政宗と共に、数多くの戦いに参戦してきた。

今を去る二十年の昔、『葛西・大崎一揆』の際には、奸計を用いて敵兵全員、小高い丘に集め、実父常成と共に南北から挟み撃ちにして皆殺しに討ったこともあった。

政宗の初上洛時には、上洛衆の一人に選ばれ、身辺護衛として付き従い、次いで、天正二十年（一五九二年）、政宗朝鮮出兵の時は、二十人の『御手明衆』の一人に選ばれている。

こうした常長の働きは、当然、政宗の眼にも留まり、政宗の信頼を勝ち得ていく。朝鮮から帰ると、そのまま政宗の股肱（ここう）の臣として『使番衆』の一人に加えられる。

朝鮮から帰国して間もなく、養子に入った伯父支倉紀伊守に実子が生まれたため、常長は六百石を貰い受け分家している。

一方、政宗が岩出山から仙台に居城を移した際に、藩全体の大幅な領地替えが行われたが、常長の所領は、今までの活躍が認められて岩手水沢に五十二貫、一関村に七貫余の合計六十貫（六百石）が与えられ、常長は伊達藩の中でも中級武士として出世を遂げていった。

しかし、常長は独り座敷に座ったまま、自分の今までの半生を振り返るとき、かつて経験したことの無い不安というか、揺れ動く自信の無さを覚えずにはいられなかった。

このような気持ちは、南蛮国へ出発する以前には決して味わったことのない感懐であった。

自分の役目とは、一心不乱に戦い、敵の中に飛び込み、多くの敵を斬り倒す事であった。時には、敵を騙して殺傷することであった。

迸る血の海の中で勝利の雄叫びを挙げたことが、どれ程感極まることであったろうか。その時に、些かでも『命』の尊さというものを考えたことがあったろうか。

自分が捉えたものは、ただ敵の首という物体にしか映らなかった。

やらなければ、こちらがやられるだけである。究極の斬りあいの中で、同情も憐憫も浮かんではこなかった。名ある武将の首級を挙げること、これが常長にとって戦いの全てであった。

真っ黒く燻された天井から囲炉裏へ自在鍵が下がり、ちんちんと鉄瓶に湯が沸いている。黒光りする板の間に座っていると、近所の百姓達が毎日、三人、五人と集まって来て、こちらを覗いている。皆、常長の旅の話を聞こうと待ち構えていた。中には、目立たぬように素早く十字をきる切支丹も混じっていた。

常長は、かつて自分がそうであったように、今はこれらの素朴な百姓達が愛おしかった。この者達は恐らく自分の田畑以外のことは、何も知らず一生涯小作の地から出ることも無く、世を終える者が大半であろう。

彼等に比べてみて、自分は僥倖(ぎょうこう)であったと思う。

この戦乱の打ち続く時代に、政宗という天下をも窺う武将に就いたことが、如何ほど幸運であっただろうかと思った。この一代の英傑について来たからこそ、世の事情にも通ずることが出来たのである。この環境は、どれ程自分を大きく変えたことであろうかと、そのことが痛切に感ぜられるのである。

(この者達にも、何かを伝えておかねばならない)

そういう思いが常長の胸にふつふつとこみ上げてくるのだった。

「皆の衆」と呼びかけると、常長は静かに口を開いた。

百姓達は、小さくどよめいた。

「六右衛門は、無事、八年振りに南蛮より帰って参った。これから拙者が南蛮国へ出かけた経緯を、少しずつ話してきかせよう」

常長は、一息つくと、月浦から出港した時の様子を語り始めた。

今を去る八年前、慶長十八年(一六一三年)秋、乗員百八十名を乗せたサン・ファン・バウティスタ号は、伊達の紋章九曜紋を誇らかに船尾に掲げ、牡鹿半島月浦より出帆した。日本人は仙台藩、幕府関係の者、水夫(かこ)、その他一緒に乗船した商売人を含めて百四十名、スペインの南蛮人四十名の構成であった。

船の大きさは、凡そ長さ十八間（三十三ｍ）、横五間半（十ｍ）、主帆柱の高さは十六間三尺（三十ｍ）、総トン数は五百トンにもなる巨大なものであった。

この船を拵えるのに、延べ大工八百人、鍛冶六百人、雑役夫三千人余りを動員して、突貫に次ぐ突貫で、半年ほどで造られた。木造船としては、当時の日本で作られたものの中では最大のものであった。

船の中心をなす本帆柱も弥帆柱も、気仙東山の奥から切り出した太い松材で、船側には片浜や江刺から伐採した檜や杉材を用い、これらの材料は主に北上川の流れを使って運び出したものだった。直立した帆柱を下から仰ぐと、圧倒される程の高さで、その先に、常長の家紋である逆卍に違い矢の紅旗がなびいていた。

甲板は、上甲板を含め三層になっており、各部屋は船長ソテロ神父の居る上部甲板（遮浪甲板）と、船員、水夫の居る中部甲板（上甲板）に分れ、一番下層は荷物などを入れる船底（船倉）であった。

常長とビスカイノ提督は、スペイン帝国ガレオン船の特徴である、船尾の一段高くなった、船尾楼甲板と呼ばれる部屋で生活した。二畳ほどの室を衝立で二つに仕切り、常長の方は畳の寝台、提督は板張りの寝台（ベッド）であった。

出港して十日程は、海も穏やかで、船首に据え付けられた黄金の獅子頭が、あたかも易々と波を蹴散らすように、順調に船は進んでいった。ただ、百八十人という人数であり、船内は人、人、人で移動するたびに互いに肩が触れ合う程であった。

特に、食事の時は大変で、何度か交代で其々の持ち場で済ますという具合で、飲み水はなにより も貴重であった。雨が降れば、皆で一斉に甲板に出て、空いた樽を甲板に並べて、一滴の無駄も無いように気を配った。

始めのうちは、果てしない海の広さや青さに感心していた者達も、次第に上下する船の動きに、船酔いに悩まされる者が続出した。

それでも、船は折からの西風と黒潮に乗り、順調に太平洋の波を切って進んでいった。舵を取り、帆の上げ下ろしの調整をするのはスペイン人の船員達で、皆、慣れた手つきで操船していた。

日本の水夫達が密かに彼らに近づき、その技術を学ぼうとすると直ぐ、彼等は作業を中止してしまい、なかなかその要点を教えてはくれない。彼等は提督より厳重に操船の秘密を守るよう指示されていたのである。

夜になると、辺りは一面暗黒の海に変わり、星が出ない夜などは、空を見上げても船の先を見ても、どちらを向いても真っ暗闇であった。

ただ、ザァーザァーという波を切る音だけが闇の底から聞こえてきた。今、いったいどこにいるのか、自分達の位置さえ分からず、本当にメキシコに向かっているのかと大変不安になったものだ。

提督によれば船は確実に目的地の方向に向かって進んでいるというのであったが、その不思議な訳を、日本の水夫達も皆思ったものだが、南蛮人は円い天測器というものを空に向けてわずかに輝く星に針を合わせて自分達の位置を知り、方向を知ることが出来るのであった。

その方法を、幕府の役人達も、何度か彼等に教えてくれるよう頼んでみるのだが、決して日本人には教えないようにと、厳重に禁止されているということだった。

提督は日本人に航海術を教えれば、いずれ太平洋の海は日本人達に荒らされてしまう、という心配があったようである。

ここまで常長は、無学な者でも分かるようにと、丁寧に話してきたが、果たして百姓達がどこまで分かっているのか、薄暗い土間の方は水を打ったように静かであった。

常長、再び政宗に引見

常長が、百姓達に話をするようになってから暫く経ったある早朝、息子の常頼から、「至急登城せよ」との書付が届いているとの知らせがあった。

常長は一人奥の仏間にこもり、密かに日課である主に祈りを捧げている最中であった。

書付を開けて見ると、切支丹改所、奉行石母田大膳と認(したた)められている。書面を読み終えると常長は素早くロザリオと聖具を仏間の奥にしまい、そのまま着替えて、家僕の茂兵衛一人を伴って屋敷の門を出た。

茂兵衛は、支倉家代々の家僕であり、メキシコで洗礼を受け、ジャコベという洗礼名を持っていた。

謁見の場所は以前と同じ鳳凰の間である。常長は一門一家一族が居並ぶ孔雀の間の手前で座ると畏まった。列席している面々は、奉行石母田大膳、茂庭周防、船奉行秋保刑部、河東田縫殿、末席に横沢将監である。

小半時の後、殿ご来臨が告げられ、やがて、烏帽子に狩衣姿の政宗が上段鳳凰の間に現れると、どっかと敷物の上に胡坐をかいた。

一同、暫時平伏して身体を起こした。

常長は、平伏したままである。

「支倉六右衛門常長、もそっと近こう寄れ」

やがて、奉行茂庭周防の声が掛かる。

前にも記したが茂庭は主に藩内の犯罪、探索方を主な任務にしていた。その一方で、反切支丹の急先鋒でもあった。

常長は平伏した姿勢のまま膝行(しっこう)して進み、横沢将監の手前で身を持した。

広間にしばらく、沈黙の時が流れた。

「六右衛門、どうじゃ、決心は付いたか」

突然、上段の間から政宗の鋭い声が飛んだ。

常長は、無言のままである。

すると、周防が後を継ぎ、

「聞くところによるとお主の処へ、日々、切支丹が密かに訪れているそうじゃが」と、疑い深そうな眼で常長を見つめた。

「これは目付からの報告だが、お主の屋敷には、毎日のように、近在の百姓どもが集まって来るそうだが、いったい、何のために集まって来るのか」と、きつく周防に促され、

「いえ、信者とは滅相もございません。ただ、拙者の南蛮国の旅の話を聞きに来るのです」

初めて常長は低い声で答えた。

「基督教の話は無いというのか」

「はい、基督教の話などはしておりません」

「それは異なことを」と、周防は少し声を荒げた。

「お主は毎朝夕に祈りをするそうだが、それは基督へ向かっての祈りではないのか？」

「いえ、決してそうではありません」

「では、誰に向かって祈るのじゃ」と言うと、周防は目尻を吊り上げじろりと常長をねめつけた。

しばらくして、常長が静かに答えた。

「それは、我らの先祖へでございます」と言うと、一同はふむと頷き、再びしばらく沈黙が続いた。

「先祖に祈るのに、ロザリオが必要なのか」

周防が、鋭く畳みかけた。

常長は、少し考えてから、

「仮令、先祖へでも、数珠がなければロザリオでも構いません」と言うと、ほう、というざわめきが広間にあがった。

やがて、周防が政宗の方に向かって問いかけた。

「殿、如何いたしましょうや」

政宗はじっと聞いていたが、やがて脇息から身体を起こすと口を開いた。

「先般来言っているように、わが藩でも切支丹は御法度じゃ。これに背いた者は、誰であれ罰せられる。既に、六右衛門はそれらを知っておろう」と、政宗は、重く低い声で言い放った。

常長は両手を付き軽く低頭した。

「ならば、これに背いた者は、儂の寵臣であれ、功ある者であれ罰せねばならぬ。それでも良いか」

政宗は平伏している常長を凝視した。

常長は低頭したまま、無言で畏まっている。

政宗は、大きく頭を傾け、自らも二、三度点頭すると、

「切支丹の嫌疑があるものは、誰でも取り調べを受けねばならぬが」と言うと、大きく息を継いだ。

「六右衛門は、それでも良いのか」と、少し声の調子を和らげた。

政宗は常長の、誰よりも強い忠誠心を知っていた。

「棄教すれば、再び儂の股肱の臣として働きが出来るのじゃ」

政宗は、希望を込め声に力をいれた。

「どうじゃ六右衛門、わざわざ自ら牢を望むのか」と、当然、否の返答を望むように声をかけた。

こんなことで、みすみすこの男を手放すのは、なによりも辛かった。

「今までどおり、儂の側で、仙台藩の為に働いてはくれぬか」と、重ねて声をかけた。

仙台藩では、既に、切支丹改所が設けられ、そこでは連日、厳しい取り調べが行われていた。

しかし、常長は低頭したまま無言であった。

しばらく、孔雀の間に沈黙が流れた。

「殿、六右衛門を如何が致しましょうや」

切支丹取締奉行、石母田大膳が心配そうに口を開いた。

常長は依然、平伏したままで、その口からは何も語られなかった。

やがて、政宗は立ち上がると、冷たい一瞥を常長に送った。

「やむを得まい。そちの手で、調べる他はあるまいて」

政宗は、そのまま振り返らずに上段の間を後にした。

仙台藩の切支丹改所は現在の評定河原の側にあり、切支丹の被疑者を取調べたり、又、捕まえた切支丹を拘禁したりする牢をも兼ねていた。

当初は、仙台藩の切支丹取調べは他藩より緩やかであったが、常長等の帰国を待つかのように、切支丹の取調べが厳しくなっていったのである。

慶長十七年（一六一二年）八月に、幕府は基督教禁制を宣言しているが、この禁令の対象地域はまだ、幕府直轄領かその近辺に限られていた。

既にその頃、仙台藩では、ソテロが政宗の知遇を得て領内で布教を開始しており、政宗はかえって、「天主の教えを広め信じてよろしい」と青葉城頭に高札を立てたくらいであった。

その様な幕府と仙台藩の駆け引き中で、同十八年（一六一三年）九月に、常長とソテロを使節としてメキシコへ送ったのである。

しかも、この使節派遣には、政宗の新造船計画から、乗組員、積荷に至るまで、幕府の船手奉行向井忠勝が深く関わっており、幕府はこの派遣を承認、援助する一方で、スペイン領メキシコとの交易をも目論んでいたのである。

あとで述べる慶長十九年（一六一四年）の『切支丹大追放』によって捕えられた、フランシスコ会宣教師ディエゴ・デ・サン・フランシスコ自身による面白い報告書がある。

船奉行向井忠勝は、ある時、ディエゴをわざわざ自宅の別荘に招き大いに歓待し、夫人を同席させて酒をふるまい、その美貌を披露したという。

その時、向井は直々に、ディエゴを送還する船で幕府とメキシコとの交易を望んだのであった。幕府としてもメキシコとの交易は、まだまだ魅力のあるものであった。

しかし、事態は急転し、常長一行出帆のあと、幕府による、切支丹取締りが厳重を加えてきたのである。その結果、翌年の追放令により、切支丹大名として名高い高山右近や内藤如安などが国外追放に処されたのであった。

また、常長が帰朝する前年の元和五年（一六一九年）には、京都の四条河原で切支丹信者六十余人が火刑に処されている。

政宗は、幕府の並々ならぬ事態を受け、切支丹侍でもある後藤寿庵の身辺を憂慮し、わざわざ城に呼び寄せた。

「寿庵よ、信仰をやめよとは申さぬ。幕府の禁教取締りもあるので、他人に対して布教することは遠慮したがよい」と勧告するが、寿庵は、政宗の心配をよそに臆することもなく、

「天主の恩は殿のそれに勝りまする」と、いっこうに応じる気配がなかった。

遂に、寿庵に対し幕府より名指しで逮捕命令が発せられた。奉行茂庭周防はこの緊急事態を受け、評定会議の席上、眉を上げて厳命した。

「公儀では、大御所様亡き後も、頻りに仙台謀反の噂が絶えない。当方にとっては誠に身に覚えのないことながら、其の一因として、切支丹と我が藩の関係を疑い、南蛮国との繋がりに疑惑を持つ向きが多い」

周防は江戸表に出ると、必ずと言っていいほど、政宗謀反の噂が話題になることを知っていた。江戸の町では、ここもかしこも『仙台陣』の用意がされているという。

「寿庵如きを捕えずして、とても幕府への言い訳は叶うまい。まして、我が藩の切支丹宗門取締りも出来申さぬ。もはやこれ以上、殿は寿庵を庇うようなことをなさるまい」と、寿庵捕縛を厳しく下知したのであった。

何度か建て替られた牢舎

政宗に引見した日の午後、遂に常長は切支丹改所で取調べを受けることになった。

評定所から少し離れた米ヶ袋の広場の敷地内の、現在の地名で片平丁と呼ばれる一角が仙台藩の牢舎となっていた。

牢は中央に見張りのいる牢番部屋があり、その横に並んで、東西に武士や僧侶を収容する揚屋（あがりや）と呼ばれる部屋と、その周りに庶民用の大牢・二間牢などの雑居房が並んでいた。揚屋だけには畳が敷いてあった。

広瀬川に沿った広場には、幾筋にも枝を伸ばした大きな桂の木が二本亭々（ていてい）と聳え、葉を紅く染めていた。

切支丹の疑いの有る者は、百姓も町人も一旦はこの広場に集められ、身分によって牢に収監されていく。常長は武士であるため、当初は丁重に揚屋に入れられた。

しかし、四日経っても五日経っても、何の音沙汰も無かった。時折、裏の広場の方から甲高い鳥の叫ぶような声が聞こえてきた。その後、怒鳴るような声に続き、竹の潰れるような音、苦しそうな呻き声や哀願する声が聞こえてきた。

広場で何かが始まる度に、役人の声に混じって、百姓達や町人らしい声が、板一枚を隔てた常長の部屋に聞こえてきた。必死に、懇願するような声である。

やがて、ざわざわと人が移動し並ぶような様子が伝わって来る。

時折、叫ぶ声に混じって、辺りの空気を切り裂くような女の声が聞こえてきた。その声を制する牢役人の怒鳴る声。六尺棒が何かに当たる音や縄を引く音が混じって聞こえる。

やがて、叫び声や雑音が収まると、再び辺りに静けさが戻り、広瀬川の流れの音だけになる。陽は陰り、牢の中は薄暗く、格子窓から差す弱い光だけが常長を照らしている。

常長は外の気配を探るように、静かに端座していた。

六日目も暮れようとする夕方、突然、

「六右衛門常長殿、お出ましなされい」

二人の牢役人が、牢舎の前に立って叫んだ。

戸口のくぐり戸の鍵がガシャリと外され、常長は腰をかがめて外へ出た。常長は二人に両脇を挟まれて、後をついて行く。

やがて、見張り番の居る横の土間に通された。土間には筵が敷かれ、土間に続いて板敷の縁台があり、その奥の畳の部屋に拭漆で仕上げられた欅の屏風が立てられている。

二人の牢役人が常長の横に立ち、常長は筵の上に正座して待った。

しばらくすると、奥の襖を開けて正装に身を包んだ、温顔の石母田大膳がゆっくりと姿を現した。

石母田は茂庭周防と並んで、仙台藩の検察と警察を司り、この時期、切支丹取締りの首席奉行をも兼ねていた。

茂庭家は当初より切支丹には批判的であったのに対し、石母田は度々、幕府と切支丹文書を交わすなど、藩の外務も司っており、以前より後藤寿庵とも親しく、切支丹には理解があったのである。

石母田が袴を折って着座すると、土間に端座している常長を見つめ、静かに諭すように呼びかけた。

「どうじゃ、その後、お主の気持ちは変わったかな」

石母田は、このところの藩内の切支丹取締りを命じられており、気が進まぬながらも淡々とその職をこなしていた。

しかし、常長の件ともなれば、なんとかこの男を今の苦衷より救いたかった。その事は、政宗の胸中も同じであった。

「見てのとおり、わが藩でも切支丹狩りは日々、厳しさを増しており、毎日のように、近郊在郷より、多くの信者が捕えられてくる」と普段の声で話しかけた。

「それらの者達は、みな貧農の百姓達だ。やつらは明日の米さえままならぬに、その上、こうして大事な働き手が、毎日のように引かれてくるのだ」

常長は膝に両手を置いたまま、無言であった。

その時、また広場の方で甲高い悲鳴が上がった。同時に、役人の大きな声が聞こえる。悲鳴はそのまま呻き声に変わり、弱々しく消えていった。

石母田は大きく息つくと、常長を見据えて、

「今、必死に叫んでいる百姓達の声がお主にも聞こえるか、誰もあの者達を救ってはくれぬのじゃ」

と、少し強い言葉で言い放った。

それから、今度は諭すように呼びかけた。

「もし、天主(デウス)が救ってくれるというのなら、なぜあの者達を放っておくのだ」と、石母田は、常長に式台の上から問いかけた。

「なにも変わらぬのじゃて。ただ、ああして苦しみ、もがき、泣き叫んでも誰も救ってはくれぬのじゃ」

石母田は、若い頃より常長の物事を理解するのに敏なのを誰よりもよく知っていた。敵と戦う時にも人一倍勇敢であり、また、相手との交渉する術もこころえていた。

「あの者達をいったい誰が救ってくれるというのだ」

石母田はそう言うと、腕を組みしばらく常長を見つめていた。

常長は無言であった。

「六右衛門、これはみんなお主のためだ。ようく、そこのところを考えられませい」と言うと、石

母田は立ち上がり、袴を直すと襖の陰に消えた。
石母田が去った後に、再び、広場から叫ぶような、すすり泣く声が聞こえてきた。

常長は、牢舎の中で一人自問していた。眼を閉じると、自分がこの八年の間に巡ってきた国々の事、そこで出会った人々の顔が、順繰りに現れては消え、消えてはまた現れてきた。その人達の顔と共に、街の様子や、人々の声までが思い出されるのである。

時折、川風に混じって、牢舎に人の声が聞こえてくる。何か叫んでいるようでもあり、呻(うめ)いているようでもある。

常長が帰国してから、既に一ヶ月経つが、その間、毎日のように、切支丹の疑いのある者は、次々と捕えられてきた。彼らは、一旦、評定河原の仮小屋に集められ、更に嫌疑の深い者は、この米ヶ袋の牢へ移されてきた。

雑居房は親族一党で一杯になることもあれば、部落の百姓達で満ちることもあった。広場のすぐ向こう側は大小の石が転がる河原となって、その先に広瀬川が白い波を立てながら流れている。

川面を渡ってくる風は、冬が近づくにつれ青葉山からの山降ろしとなり、牢舎に遠慮なく吹きつけた。板塀のあちこちから冷たい隙間風が吹き込んでくる。

雑居房には、畳は無く、せいぜい土間に筵が敷いてあるくらいで、囚人達は自分達が持ち込んだ敷物や衣類で寒さをしのいでいた。

常長の居る揚屋は、畳の他に夜具なども備えられていたが、流石に木枯らしの吹く季節となれば仙台の青葉降ろしの寒さが身に染みた。

常長はしみじみ、自分が巡ってきた国々とは、なんと大きな違いであろうかと思わずにはいられなかった。

眼を閉じると、アカプルコの港湾へ降りそそぐ眩しいばかりの陽光や、総督への表敬のために訪れたメヒコまでの長い道中の事などが思い浮かぶ。雲一つ無く晴れ渡った天空にぎらつく太陽。そして身体も喉も焼きつくすような果てしない砂漠。それらの一つ一つが、つい昨日の出来事のように常長の脳裏によみがえってくる。

常長が静かに瞑想に耽っていると、突然、自分を呼ぶ声が聞こえた。

常長がゆっくり頭を回(めぐ)らすと、牢の前に、温顔の奉行石母田大膳が牢役人二人と腰を屈めて立っている。

「どうだその後、棄教の決心はついたか」と言って、不憫そうに牢を覗き込んだ。

そして、

「これは姫からの差し入れだ」と、冬に着る袷(あわせ)と、綿入れを運び入れさせた。

姫とは、政宗の長女五六八(いろは)姫のことで、先年、謀反の疑いで改易させられた越後高田藩主家康六男の忠輝と離縁させられ、この時期、仙台に戻っていた。

石母田が続けた。

「六右衛門よ、なにも好き好んで、こんなむさい処へいつまでも居ることはない。お主のする仕事はいくらでも待っているぞ」

石母田は声を落として説いた。

常長は何も答えぬままである。

「簡単な事ではないか、何をそんなに躊躇うのだ。他国や南蛮国の神が、どうして日本の神より偉いと言えるのじゃ」

石母田は、日頃の自分の思いも投げかけた。

「古来より、日本人はずっと日本の神仏に手を合わせてきたのだ。お主が日本を離れる時も、何に祈り、誰に手を合わせたか、日本の神や御先祖にではなかったのか」

常長は牢舎の向こうに端座したまま、沈黙している。

石母田は続けた。

「それで何か災いや悪いことが、不都合なことがあっただろうか。殿も、我々も皆日本の神で良いと思っている。もちろん南蛮人には南蛮人の神があるのは一向に差し支えないことだ。我々はそこまで彼らに干渉はしない。しかし、この数年、幕府の意向により、この国での基督教は禁止となった。そうなった以上、何も好んで禁教の神様を拝むことはないであろうに」

石母田はここで一息つくと、牢格子に両手を掛けて、常長に呼びかけた。

「お主と一緒に帰ってきた横沢将監は、信仰は所詮、見栄にすぎなかったと、とっくに棄教して、今は、殿の片腕として、新しい仙台藩のために、大いに尽しておるぞ」

石母田は常長の為にも心からそう願った。

「お主にも是非、そうして働いてもらいたいのじゃ」

石母田はそう告げると揚屋の前を離れていった。

牢舎を渡る風は時折、激しい音を立てて掘立て小屋の屋根の上を過ぎてゆく。枯葉が渦になって巻き上がり、ヒュウという風の音と共に、牢舎の前に吹き寄せられてくる。もう冬が近いことを知らせていた。

常長はじっと壁に向かったまま動かなかった。その表情は、伸び放題の白い髭の中に埋もれて判らず、長く伸びた髪は梳（くしけず）らず、無造作に背中に束ねられていた。

時々、持病の震えの発作が彼の躰を襲った。長期にわたる旅は、確実に彼の躰を蝕んでいた。姫から差し入れられた綿入れが、畳んだまま薄い布団のすぐ傍にあった。このままこの牢舎で暮らすか、あるいは家族の居る温かい在所で暮らすかは、全て常長の決断にかかっていた。

再び、斜め向かいの牢から長い呻き声に混じって、泣くような声が聞こえてきた。続いて何かを打つような音も聞こえてくる。

十一月になって、このところ切支丹嫌疑の捕縛者がずいぶんと増えてきているようであった。当初は、簡単な口頭でのお尋ねであったものが、このところは大分厳しくなってきたようであった。

政宗の切支丹に対する姿勢が明らかに転換した。この間の事情について、レオン・パジェスの『日本切支丹史』は次のように述べている。

「政宗を第一とする諸国の大名達は、国法に従うためには、迫害（ヘレキサン）を我が義務とした。大使派遣（常長一行）のことで幕府から疑いをかけられ、また公方様を倒す陰謀のもとに、スペインとの同盟を求めたと噂された政宗は、身の潔白を証せんとし、領内切支丹の根絶を決意した」

仙台藩の切支丹弾圧

政宗が出した切支丹禁令三ヶ条というものがある。

一、将軍の意志に反して切支丹になった者は第一の罪人として棄教を命ず、これに反する時は財産を没収し、追放或は死刑に処す
二、切支丹信徒を訴え出ずる者には褒賞と賞金を与う
三、全ての伝道師は信仰を棄てざる限り追放を命ず

政宗謀反の噂は、幕府内でも疑いを持つ意見が多かったが、仙台藩邸はその都度、国元へ情報を早馬で送った。それを受け、仙台藩での切支丹への最初の弾圧は、領内の水沢見分の地で行われた。この地所は、切支丹の中心人物であった家臣、後藤寿庵が政宗より千二百石の知行として与えられた土地であった。彼は政宗の信頼も厚く、領民の信頼も絶大であった。

その一方で、布教活動にも熱心で常長達が帰国した時に、その中の何人かはこの水沢を目指している。この地域での信者の数はその後、四、五百にも上り、領内切支丹の中心地の如き様相であった。

この日の夕方、常長は牢番より呼び出しを受け、見張り番のある部屋に連れて行かれた。待っていたのは石母田大膳ではなく、切支丹迫害の急先鋒と言われる、茂庭周防であった。

常長は、筵の敷いてある土間に控えさせられた。

「六右衛門、久し振りじゃな」

尖った下顎に手を添えた周防が式台の羽目の上に立ち、釣り上がった細い眼で常長を見下ろすように、声をかけた。

その眼は獲物を狙う狐のように鋭かった。

「既に聞いておろうが去る六日前、水沢にて六名の切支丹が斬首となった。その首は三日の間、曝された」

常長は頭を僅かに傾け聞いていた。

「その中には、年老いた夫婦もいたそうだが」と、周防は哀れな捨て犬でも見るように常長をみつめると、

「何故、こうしてまで基督教に拘る（こだわ）のじゃ、宗教というものは、人の命を救うものではないのか」

と言うと、自ら二、三度大きく頷いた。

常長は、依然として無言のままであった。

「何故なのだ、いったい何故なのだ」と、周防の声が次第に高まってくる。

「何故、やつらはお主らの神によって救われないのだ。何故、やつらの神は助けてくれないのだ」と、

周防は矢継ぎ早に年来の疑問を常長にぶつけた。

常長は無言のままである。

「お主らが、それ程までに全能である基督を信仰しているのなら、是非、そこのところを、儂にも説明してもらいたい」

常長は細かく肩を震わせ、じっとうつむいている。

周防は暫く常長を見つめていた。そして、声を強めた。

「どうして、お主らの神は、苦しんでいる者達をほっておくのだ」

そう言うと、周防は牢役人に視線を送り座敷に戻った。

「殿は、此度(こたび)は本気のようじゃ。それに連日、幕府からもきつい通達が来ている」

周防はわざわざ今、藩の置かれている状況を常長に説明した。

「殿といえど、此度の幕府の意向に逆らえば、この仙台藩も改易の恐れありとの並々ならぬお覚悟じゃ。先般、儂も江戸屋敷から戻ったが、御公儀における切支丹取締りは、相当に強化されてきている」と言うと、周防は一旦話を切り話題を変えた。

「ところでわが殿は、寿庵と六右衛門の二人はなんとか生かせ、との御意向じゃ。誠に有難いことじゃて」と言うと、周防は一呼吸置いた。

「それに、スペイン国と我が藩との関係も疑われている現状じゃて、以後、基督教はわが藩でも絶対ご禁制となったのじゃ」と、筵に控えている常長に、きつい視線を送った。

先の水沢での六人の処刑は、キリスト教徒への見せしめであり、この禁令による仙台藩最初の弾圧であった。

「六右衛門、お主といえど、基督教を棄教しない限り、この禁令の適用は免れないのじゃ」と言うと、しばらく常長の様子を窺った。

「しかし、昔の誼（よしみ）だ。まだ猶予は与える」と、牢役人に軽く目配せし、

「そろそろ木枯らしが身に染みる季節となったが、このまま自分の身体を苛（いじ）めるのが良いか、あるいは、再び、殿のお側で働くことを選ぶか、どちらが良いか、じっくりと考えられい」

周防は長い顎を一しゃくりすると、決然と席を立った。

常長折檻

切支丹への迫害は、以後、日を追うごとに激しくなった。見張り小屋に併設された拷問部屋からは、囚人等を竹筒で打ちすえる牢役人の怒声と共に絶えず呻き声が聞こえてきた。その声は、常長の居る揚屋牢にもそのまま聞こえてきた。

「お役人様、わっしらは切支丹ではありません。どうぞお許しください」と、必死に牢役人にすがりつき絶叫する声や、哀願する声が聞こえる。その中の幾人かは、転宗し、自分が切支丹でない事を証す名前の上に、血判を押すと解放される。

それでも転宗しないものは、更に酷く痛めつけられるのである。

拷問には鞭打ちや敲き、石抱きの他に、吊り攻めというものがあった。手足を縛り、梁に吊るされて打たれるのである。大抵の者はここで耐えきれず、白状して転宗を誓うのであるが、それでも背んじない者は、大阪や長崎地方では逆さ吊るしのままに放置されたという。この刑は、やがて、血が逆流して脳に鬱血し、囚人の脳を破壊する拷問であった。

一方、仙台藩では常長死去から三年後の元和十年（一六二四年）一月、カルバリヨ神父他九名の信者が厳寒の広瀬川の大橋の袂で、水責めの刑によって処刑されている。

村人への恫喝と迫害の様子は、常長の居る牢舎にも伝わってきた。常長自身にも、冷酷な笑いを浮かべた茂庭周防が忠告したことが差し迫ってきているようであった。

「どちらが良いか、じっくりと考えられい」と言って、周防は去っていったが。

それから数日置いて、常長は再び牢番小屋に呼ばれた。二人の牢役人は、常長を牢舎から出すと、すぐ後ろ手に縛った。

「規則ですから」と、彼らは済まなそうに小さな声で告げた。

後ろ手に縄をかけられるのは常長が入牢してから初めてであった。それから縄を引いて番小屋に連行された。

番小屋に着くと、すぐ隣の取り調べ部屋に移された。そこには四畳半程の土間があり、周りは荒削りの板塀で囲まれ、刺股や先の割れた竹などが立てかけられてある。羽目板の向こうは一段高い座敷になっており、脇に同心が二人控え、正面に額際まで禿げあがった細い狐眼を光らせた茂庭周防が着座していた。

常長は土間の筵の上に座らせられた。両手は後ろ手に縛られたままである。しばらく時が過ぎた。

常長は姿勢を起こし、後ろ手のまま、じっと座敷の方を見つめた。時折、持病の咳の発作が常長の身体を揺らした。

周防は傍の同心と何か小声で話すと、やがて、常長の方へ厳しい表情で向き直おった。

「どうじゃ、六右衛門、決心は付いたか」

その声は、狭い牢番小屋に冷たく響いた。

「お主が、基督教を棄教すれば、今すぐにでも解放しよう」

周防はこう言うと、その吊り上がった眼で総髪の常長をじっと見据えた。

「しかし、どうしても棄教しないとなれば、我が藩の禁令に基づいてお主を処罰せねばならん」

周防は処罰という声に殊更に力を込めた。

常長からの反応はなく、彼の視線は穏やかに周防を見上げていた。

周防は、その視線を力で押さえつけるように睨みつけると、忌々し気に、もう一度ただした。

「どうじゃ、基督教を棄教するのか、それとも、どうしてもお主の信じる南蛮の邪教を棄教しないというのか」

周防は脅すように声を強めた。

常長は、じっと周防を見上げたまま無言であった。

「そうか、これだけ言っても、否と言うのか」

周防は身体を乗り出すように、両膝の上のこぶしを固く握った。

常長は、何か悲しいものでも見るように、やはり無言であった。

やがて、周防は諦めるように、何か独りごちると、

「そうか、それでは止むを得ない」と、常長の側に控えている牢役人に、目配せを送った。

「出来れば儂もこのような手荒な事は避けたかったたが、こうなっては止むを得ない。此度のことは、殿からも許しは得ている」と、殊更に殿という言葉を強調した。

それから、さも憎さげに常長を見下ろすと、牢役人に向かい
「存分に可愛がってやれ」と言うと、周防は袴の裾を払って立ち上がり、座敷の奥に消えた。

常長を折檻する牢役人は、初めいくらか戸惑いを見せたが、牢同心の叱咤の声に、手に持つ竹筒に力が加わった。

常長は、しばらくは無言で堪えていたが、打たれる力が強くなるにつれて、苦しげな声を挙げた。

竹筒のしなる音が聞こえる。ピシっと乾いた音が鳴る。やがて、竹筒の先端が割れ、竹片の弾ける音がする。それから、衣を破り肉に食い入るような鈍い音が響く。

唇を噛み、必死にこらえる常長の呻き声が洩れてくる。打たれる度に、その声は、番小屋に響き渡った。

襖の陰で周防は、じっとその様子を聞いていた。

「六右衛門殿、棄教なされい。棄教さえすれば、今すぐにでも楽になりますのじゃ」

同心の必死に説得する声が、折檻部屋に響いた。

「嘘でも良い、嘘でも良いのじゃ。棄教するとさえ言えばすぐにでも苦痛から逃れられるのじゃ」

常長は、歯を食いしばり、唇を噛みしめたまま無言であった。

竹筒の先端が再び割れて、潰れた破片の飛び散る音が聞こえる。

「何も自ら好んで、このように痛い目に合わなくても良いではないか」と牢役人も、同情の涙を浮かべた。

「棄教なされい、六右衛門殿」

同心の必死に説得する声が続く。

「何故、そんなにまでして、基督教に拘るのじゃ」

「せっかく七年も八年もかけて、南蛮国に行ってこられたのに」

「ここは南蛮国ではありませんぞ、日本国ですぞ」と言うと、また、ビシッと竹筒の音が聞こえる。

打たれるたびにうーっと、常長は苦痛に顔をゆがめた。土間には常長の皮膚を破った血が飛び散り、唇から血が滲んでいる。

常長はひたすら唇をかみしめ歯を食いしばって耐えている。

「貴殿の、その経験が余りに惜しいわ」と同心は瞬時、同情を示し、しばらく打ち手の手を止めた。

すると常長は力なく、後ろ手に縛られたまま横ざまに倒れた。再び役人が倒れた常長を起こして、更に打とうとした時、

「止めいっ」と襖の陰から声が掛かった。襖が開き周防が現れた。

常長はぐったりとして、筵に横になったまま苦しそうに息をついている。

「今日は、其処までで良い。どうじゃ六右衛門、こうなってもまだ痛い目にあいたいか」と、周防は溺れた犬でも憐れむように、座敷の上から声を掛けた。

常長は、血の飛び散った土間に身体をくの字に曲げたままである。周防は、暫く途切れ途切れに息をついている常長の様子を窺っていたが、やがて、

「愚かな奴じゃ」と、吐き捨てるように言うと、そのまま袴を蹴って襖の奥に消えた。

周防の姿を眼で追いながら、常長は何かに祈るように呟いた。

「主よ——天にましますわれらの父よ、どうぞわれら…」

余談だが、奇しくも同じころ、イタリアの大天文学者ガリレオがコペルニクスの地動説を擁護して、教皇庁と対立し、宗教裁判にかけられている。

自説の放棄を命ぜられ、「それでも地球は動いている」と呟いたという逸話は有名である。

ガリレオが教皇パウロ五世に謁見したのは、常長が謁見した時より四年半ほど前のことで(一六一一年四月)、同じ時期に、二人がローマの同じ空の下に居たことに不思議な因縁を感じるの

である。

その後、ガリレオは配所で亡くなったという。

牢に戻されると、常長は、立つ力もなく衾（ふすま）の上に倒れ込んだ。身体のあちこちが腫れ上がり、所々、肉が破れて単衣に血が滲んでいる。しばらくは息をするのも辛かった。

口からは血が滲み出て、加えて、持病の咳が間断なく続いた。かつて、異国の地で病んだ病が再び、常長の身体を蝕んでいた。

夕方、常長の家僕の茂兵衛が揚屋までやって来ると、常長の姿を見て驚きの声を出した。茂兵衛は、何がしかの差し入れの為、毎日のように顔を出していた。

「旦那さぁっ、いったい、どうなされたじゃ」

「ひどい仕打ちだぁ━、これが八年間の報償かぁ」

茂兵衛は急いで牢枠に取りすがると、大きな声で叫んだが、常長は身体をくの字に曲げ、両肘を縮めるようにして横たわっていた。

頭を抱えた下から苦しそうに息をしている。

「大丈夫だ。心配するな」と、漸く聞こえるような小さな声で茂兵衛を制した。

こういうこともあろうかと、茂兵衛は牢枠から手を入れ持参してきた膏薬で素早く常長の傷の手当てをした。

それから六日ほどは特に呼び出されることも無く、常長の牢舎は何もなく過ぎ去った。しかし、秋も暮れ、牢舎に吹く風は次第に寒さを増してきていた。相変わらず持病の咳は小刻みに続き、打たれた傷と共に、少しの隙間風さえ身体に響いた。

髪も髭もそのまま伸び放題で、常長は何もすることの出来ない牢舎の中で、粗末な板壁に向かい必死に祈り続けた。

しかし、それは仏法者の祈りではなかった。常長の頭に去来する思考は、決まっていつも同じ問いかけの、堂々巡りの連続であった。

(このまま基督教を棄てるべきか、あるいは否か? このまま絶対に、信仰を貫くべきか、あるいは否か)

「もう棄てればよい」という囁(ささや)く声が、牢舎のどこか片隅から聞こえてくる。

「常長よ、転宗(ころび)なさい。そうすれば後はずっと楽になるぞ」

甘い悪魔のような声が、常長のすぐ耳元で聞こえてくる。その声は誠に甘美な囁きであった。一瞬、常長は、その囁きに心が揺れた。

そうかと思うと、突然、

「否、否」と、破れ鐘のような大きな声が、常長の頭上から聞こえてくる。

「どうして汝は、今さら天主(デウス)を棄てることが出来ようか」と、使徒パウロが叫ぶかのように、別の甲高い声が梁の上から聞こえてくる。

「常長、お前は、どうして、これまでお世話になった皆を裏切ることが出来ようか」

多勢の非難の声が牢舎の外を吹く風と共に、渦のように鳴り響いた。その度ごとに、常長の思考は中断し、頭の中が一瞬、真っ白になり、そのまま何も考えられなくなった。

やがて、また初めの問いに戻されるのであった。考えても熟慮しても、同じ処の堂々巡りであった。

しかし、通常の平静な思考に戻ると、

（皆の前で神と交わした約束を、今さら破ることは出来ない。彼らを裏切ることはできない）と、常長の脳裏には、洗礼を受ける際に遠い異国で世話になった人々の懐かしい顔が、一人一人思い浮かんで来るのであった。

暫し、彼等との思い出に耽っていると、また突然再び、現実に引き戻された。

（儂には、忠誠を誓った殿が居る。子飼いの時より育ててくれた殿が居る）

常長の思考は、現実の状況に戻されるのだった。

（侍にとり忠義を尽くす事は、他の何よりも大切なものなのだ）

常長は煩悶（はんもん）した。

（今さら世話になった人々を、弊履（へいり）の如く棄てるわけには参らぬのだ。儂は殿を心から敬愛して仕えた。殿を誰よりも尊敬し、一人の武士として仕えたのだ。この主君の為ならと、何時でも命を捨てることができる。殿にやれと言われれば何でもやろう。死ねと言われれば、命さえ厭わないのだ。侍とは、一旦こうと決めた主君に忠誠を誓い、命を預け、生涯仕えることなのだ。今さらそれらを捨て、全てを捨てて、他へ行くことなど、儂にはとても考えられない）

常長の思考は、この一点より少しも進展せず、同じところをぐるぐると周った。そして、その後も何度か番小屋へ呼び出されては、しつこく転宗を迫られた。承知せねば再び脅しと厳しい折檻が続いた。その度に、背中の皮膚は破れ、血が飛び散った。両足もひどく痛めつけられ、この頃は一人で立つことは出来なかった。

「六右衛門よ、此度の事は、殿の許可を得ているのだ」

周防は傲然（ごうぜん）と言い放った。更に、政宗の恐ろしい言葉を付け加えた。

「余の命に逆らう者は、功臣と言えど、もはや無用である」と。

収監から早や一月半も経ち、常長の頭髪は大分白髪が増え、既に肩まで伸びて、顎から肩にかけてひどく痩せが目立ってきていた。

秋も早々と過ぎ去り、時は師走に入った頃であった。常長は、筵の上に蹲（うずくま）るように横たわっていた。

突然、牢役人より番小屋へ呼び出された。役人に両脇を抱えられ番小屋まで行くと、そこには奉行の石母田大膳が心配顔で待っていた。

石母田は、常長の頬が細り、身体つきもすっかり痩せこけているのに驚いた。そして常長の縄を解かせ、ゆっくりと告げた。

「この度、さるお方の肝入により、そこ許を一旦、釈放することに相成った。就いては、以上の事を固く守り、そちの屋敷にて謹慎する様に」

一つ、親族以外の外来者の出入りを禁ずる
一つ、胸の銀の十字架(クルス)を外し、今後、一切基督教を口外せぬこと
一つ、耶蘇に関係する諸物は、これを一切処分すること

以上

石母田はこれらを告げると、労わる様に声をかけた。

「六右衛門、此度の事は誠に辛く、ご苦労なことであった。そちの釈放については、藩内でも頑強なる反対の声も上がった。しかし、常長に罪は無いとの声も挙がり、そちを一旦、釈放することになった」

常長は不思議な気持ちで聞いていた。

「その声の主は、どなたと思うか」

常長には皆目、見当がつかなかった。

「その方は、そちも良く知っておられる女性である」と、石母田は、肩の荷を降ろすように告げた。

「近頃、上総介忠輝様方よりわが藩に戻られた五郎八姫である。先(せん)には、夫より離縁され、此度は罪なき六右衛門を責めらるると、強く親方様に働きかけたとのことでござる。因みに、忠輝様は謀反の科で、改易となり伊勢へ配流となっている」

そう言うと、石母田は常長の方へ眼を移した。

「そちの留守の間に、世の中は大きく変わった。つい先年、安芸の福島正則殿は、お城修築を理由

に改易されたばかりだ。また、すぐ隣の最上家も、近々没収の噂が絶えない」

石母田は、常長をまだこれからも活躍できる男と読んでいた。

「幕府は去る夏の陣後、まだ流動的な幕藩体制の安定を計り、年々、各藩の締め付けを強化してきている。幸いに、二代将軍秀宗様の懐刀である柳生宗矩殿は、我が殿と旧くから誼（よしみ）を通じられ、わが藩に有為な情報をもたらしてくれるが…」

そう言って、石母田は一息つくと、

「つまりはわが藩の内情も、同じく幕府に洩れるという事じゃ。ゆめゆめ油断は禁物という事だ。今の世の中、何処から足を掬われるか」

常長は無言のまま、ただ聞いていた。

「まして、昨今の禁教令は幕府にとって、不平の大名を潰す、格好の口実になるのじゃ。狙いを付けられた九州の大名達を見て見よ。高山右近殿、内藤如安殿等の切支丹大名は、お主等が出帆した直後に国外追放となり、坂崎出羽津和野四万石、安芸広島福島正則殿四十九万石などもその後、次々と改易、幕府の残党狩りの餌食となっている」と言うと、石母田は大きく息を吸い込み、

「くれぐれも細心の用心が必要なのだ。理由など後からいくらでも付けられる。無論わが殿は、その手には乗らなかったが」

少しおいて、石母田は常長を諭すように、

「それが政治というものなのだ」と言うと、ゆっくり立ち上がり、

「そちにも早く先般のことは忘れて、以前のように我が殿の為に働いてもらいたい」

石母田は式台を降りると、常長の側に寄って囁いた。

「いいか六右衛門、お主が南蛮国へ行った事も、帰ったことも、もう、今となっては皆、夢なのだ。無かったことなのだ。夢は早く忘れることだ」

すっかり痩せこけ、あばらの浮き出た常長の胸板が襟もとから覗いている。

「ひとまず、暫くは家でゆっくりと養生し、また元気で戻って来てくれ」

石母田はこう言うと、番小屋を出て行った。

常長は誰もいなくなった番小屋で一人、虚空を見つめていた。周りを囲む燻んだ板壁の他は何もない。

自分が座る小さな筵の他は、周りは冷たい土間が広がっており、その先の板壁には、罪人を折檻する先の割れた竹筒が無造作に立てかけてあった。

（儂は、いったい何の為に何年もかけて遠い南蛮国まで行ってきたのだ。そして、何の為に、儂はこうして遥々戻って来たのだ。わざわざむさい牢に入り、何度も竹筒で打たれる為にか）と、常長は独り自問した。

しかし、牢の外を、時折木枯らしが吹き過ぎて行く音の他は、何の回答も得られなかった。

常長の思考は、いつまでもそこに留まったままだった。ただ、掴みどころのない虚しい虚無感だけが、痩せた身体にまつわりついた。

常長の自問は続いた。

（しかし、今、奉行がそっと儂に告げたように、此度（こたび）の南蛮国の事は、無かったことなのであろうか。全て夢だったのだろうか。あの嵐の中を、逆巻く波濤を越えて、遥かメキシコへ渡ったことは、みんな夢なのか。儂は、ただ命じられたまま、主命を果たさねばならぬ一心で、大海を越え砂漠を越え山河を越えて行ったのだ。今、これらの事は、全て悪い夢だったという。出来るだけ早く、南蛮国の事は忘れ、また、「天主（デウス）」である神の事も忘れろという。わからん、儂には、さっぱりわからん）

常長は、牢番に支えられるようにして立ち上がると、番小屋を出た。

牢舎の前には常長の身体を心配して、家僕の茂兵衛と久蔵が待っていた。

茂兵衛が持参してきた袷（あわせ）に着替えると、二人に脇を抱えられながらよろよろと牢舎を出た。広瀬川から吹く風は冷たく、牢舎の前には土埃が立ち、容赦なく彼等に吹きつけた。

早や、入牢から二ヶ月の月日が経っていた。常長の足腰は弱り、胸板も痩せこけて、足元を吹く風にさえよろけ、茂兵衛の肩に寄りかかった。茂兵衛は常長の軽さに驚いた。

実家に戻った常長は、そのまま床に付いた。屋敷の門は硬く閉じられ、人々の出入りは禁じられた。門の周りを村役人が交代で見張ることになった。家族の者だけが常長の周りに集まることが許された。

高熱が続き、常長は夢うつつの中で叫んでいた。

（武士（もののふ）の忠義とは、喜んで命を捨てることではなかったか）

常長は何度も自問した。

（主君の為なら、喜んで死なんと思う敬事の心ではなかったか。ならば何故今になって、たかが南蛮の宗教ごときに、武士の魂を囚われるのだ）

常長は、苦悶した。

しかし、と常長は口の中でぶつぶつと呟いた。常長は次第に薄れてゆく意識の中で何かを拒んでいた。

（ならばなおさら儂は、恩義ある彼らを裏切ることは出来ない…）

妻トメと長男の常頼は、休むことなく常長の枕元で看病した。

時折、常長は苦しそうに咳き込むと、常頼は常長を抱え起し、赤く腫れた背中をさすった。ひどく痛めつけられた身体は、痩せ細り肋骨が浮き出て力が無かった。

咳の発作が治まると、常長は常頼やトメの手を借りて起き上がり、ゆっくりと十字を切って、誰ともなく感謝の気持ちを表わした。

家扶たちも心配顔で時々覗きに来るが、彼らの顔を認めると常長は笑顔をむけるのであった。

「心配するな。儂は大丈夫じゃ」と力無くいうと、誰に言うともなく

「しかし、儂はどうしても神を裏切ることは出来ない」と呟くと、また再び床に就いた。

仙台藩の新田開発

慶長遣欧使節派遣の以前から、仙台藩では政宗の藩財政立て直しの方策が次々と進められていた。先にも少し触れたが、伊達家の領国は政宗の代に、奥州随一に拡大しており、それにつれて新規に抱えられた家臣の数も著しく増大していた。

政宗が岩出山から仙台へ転封された際、家臣の大移動が行われ、新たに与えられた知行地の周囲には、未開発の荒地や野谷地（低湿地）がそのまま放置されていた。

家臣に与える扶持が増加し、その対策に腐心していた折であり、これらの荒地や野谷地を家臣に開発させ、扶持高の倍に相当する知行地を与えるという政策を採った。

政宗は、茂庭石見綱元に宛てて、次のような書状を出している。

「領内には多くの荒れ地があるが、その開発にはこれまで手をつけられなかった。家臣に与える扶持が増加し、その処置に困っているので、たとえば十人扶持は十八石に相当するが、その代わりに、開発すればその二倍の三十六石になる荒れ地を与えるようにしてはどうか」というものであった。

この方策は、百姓、農民だけでなく武士にも開発させるという、政宗独自のもので、早速、この方策を実行に移していった。

その代表的なところが、北上川流域に広がる広大な野谷地であり、七北田川河口、阿武隈川流域であった。

しかし、順調に進むかに見えた新田開発も、慶長十六年（一六一一年）の十月、突然、仙台を襲った大津波によって大きく頓挫する。

いわゆる、『慶長の大津波』である。これは慶長遣欧使節派遣の二年前に当たり、仙台領の沿岸部が壊滅的な被害を被ってしまう。

又、この年の五月には、政宗が教えを受け、師と仰いだ虎哉禅師が亡くなっていた。うち続く不運に政宗は、一旦はひどく落胆するのであった。

しかし、政宗はいつまでもグズグズとそこには留まらなかった。一国の大将として、凄まじく荒れた沿岸部の状況を見て、この災害を復旧に留まらず、逆に、更なる開発へもっていこう、という積極的な構想を持ったのである。

おそらく、政宗が『慶長使節派遣』の現実化を、はっきりと意識したのは、これらがきっかけとなったからであろう。

先にも記述したが、ビスカイノがソテロ神父と共に仙台に入ったのは、大津波が仙台領を襲う、ちょうど一ヶ月前に遡る。まだ、キリスト教の禁教が全国的には行き渡っていない頃である。

ビスカイノとの出会いも、日頃、南蛮の文物に興味を持っていた政宗が、登城の途中、彼らが京橋の近くにあったフランシスコ会修道院のミサに参加する日に、たまたま市街で出くわしたことがきっかけであった。

無論、当初より政宗が仕組んだ偶然であった。

政宗は、待っていたとばかりにビスカイノに伝言を送り、彼に南蛮銃の試射を所望したりして交流が始まった。この交流をきっかけに政宗の海外への野望が芽生えてくる。

政宗はこの時に、抜け目なくビスカイノを仙台に招いている。

ビスカイノが仙台に着くや、早速、政宗はソテロを通訳として、彼に海外との貿易と交流話を持ちかけたのであった。

先ず政宗は、交易に最も重要な、領内での良港の探索に当らせた。

こうして、十月十二日、ビスカイノ一行は、三陸沿岸の探索に出発していった。

一行は、最初に塩釜に寄り、名刹瑞巌寺に参詣している。瑞巌寺について、ビスカイノは、「木造の当寺は、世界には他に並ぶものがないということができよう」と讃嘆、翌日には松島を出発し、湊（石巻）、小竹と回り、牡鹿半島の月浦に達している。当初にも触れたが、この月浦は現在、定説では二年後に支倉常長一行が、サン・ファン・バウティスタ号で出航する港となっているところである。

ただし、ビスカイノの報告においては、小竹はあらゆる風を避けて停泊のできる良港で、千トンの船でも停泊可能であるが、一方、月浦については「近くの良好の海岸部には月浦という村がある」とだけなっていて、決して良港の港とは言ってはいない。

この表現が後日、サン・ファン・バウティスタ号の出帆地をめぐり議論を呼ぶことになるのである。

更に二十二日、一行は航海を続け、女川に入り、二ヶ所の適地を見出している。「今、雄勝に入港している。この港は、世界の中でも最良で、しかもあらゆる風から守られており、このような港は発見されていない」と記し、食料も豊富である、と絶賛している。

位置は、北緯三十八度三分の一に在り、これ程良好な緯度と海域は他にない、と大きな賛辞を送っている。

これらの南蛮の測量技術を使った最新の実地調査を、ビスカイノは近くに狩りに来ていた政宗に、逐一、飛脚を使い報告した。

この情報は、南蛮との交易を進めようとしている政宗にとっても、大きな収穫であり、『遣欧使節』の構想が一歩実現に向けて進むきっかけとなっていく。

慶長の大津波が仙台沿岸部を襲ったのは、ビスカイノたちの測量が最終段階に入った、十月二十八日の昼過ぎの事であった。偶々、ビスカイノ達は越喜来（おっきらい）という湾の沖にいて、無事であったが。

三陸沿岸の測量を終えて、仙台城下に戻ったビスカイノは、ここで改めて、重臣達より仙台藩の新船建造の計画を知らされる。

政宗は、駿府に出府して不在であったが、政宗はいよいよ胸中深く秘めていた新造船計画を実行に移し、南蛮との交易に乗り出す腹を固めたのであった。

――ついては、この新造船で帰国してはどうかという話が持ち込まれた。ビスカイノにとって、寝耳に水の話であったのだが。ビスカイノは、政宗のこの話の裏に潜む思惑を感知し、即答を避け、江戸において返答すると答えるだけに留めた。ビスカイノにとってみれば、好条件をつけるチャン

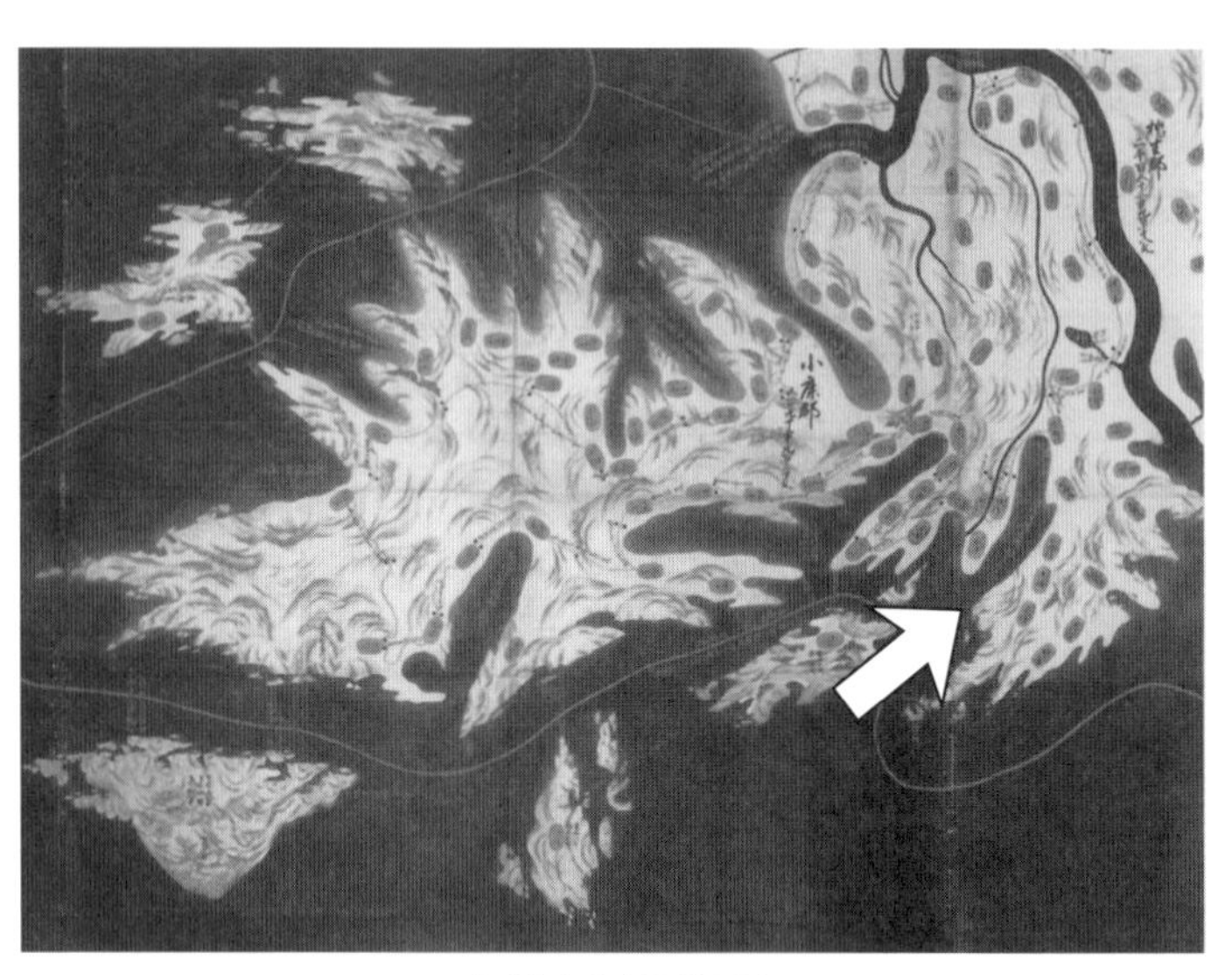

奥州仙台領国絵図

スが巡って来たのであった。

仙台城下に戻ったビスカイノ一行は、その年の暮れまで滞在し、三陸沿岸測量の仕上げとして、仙台領内の湊や入り江の作図作業に専念する。

因みに、この絵図は『奥州仙台領国絵図』（仙台市博物館所蔵）として残っている。ビスカイノ等の最新の測量技術と専門の絵師を使って、実地調査したもので、仙台藩にとっても貴重な資料であった。

ただ、この絵図は後に切支丹取り締まりが強化され、幕府に提出を求められた際に、切支丹上陸の痕跡を消すため意図的に書き換えられた可能性も現在指摘されている。上図の雄勝湾（矢印部・筆者記）に朱文字で「遠浅で岩礁あり、小型の漁船以外は出入りできない」と書込みされている。（注7）

その頃、仙台藩にとって、大津波の後の壊滅的な港の整備と沿岸部の復旧、河川河口の開発が緊急の問題であった。

復旧の先頭に立って指揮していたのが、城下の整備に働きのあった川村孫兵衛であり、まだキリスト教弾圧の波が及ばない頃に、河川工事の手腕を買われた後藤寿庵であった。

常長が帰国した元和という時代は、後年、仙台藩が大きく伸びる基礎造りに明け暮れた時代でもあった。

夏の陣が終息し、豊臣氏が滅びたとは言え、世の中はまだまだ不安要素に満ちていた。

仙台藩の南方では、相馬中村藩と境界をめぐって争いが起こり、一方、伊達の北部では、奥州仕置の結果、葛西、大崎領を手にした政宗と南部藩の南部信直は、直に領国を接することになり、疑心暗鬼、一触即発の事態に備えなければならなかった。

政宗にとって、一人でも多く使える家臣が欲しいところであった。仙台藩の備えは、胆沢郡に白石宗実、大内定綱、江差郡に桑折政長、磐井郡に留守政景、茂庭綱元など錚々たる譜代の家臣が配置された。藩境の南北に手足とも言うべき家臣を削かねばならぬ状況のなかで、キリスト教に改宗して帰国した常長の存在は、次第にその影が薄くなっていった。

転宗すれば有能な家臣として使えるが、それを拒めば、仙台藩にとってはもう、常長は無用の存在に等しかった。

まして、幕府の通告どおり、藩命に逆らう切支丹は、もう厄介者以外の何物でもなく、ただ、仙台藩の足を引っ張る危険人物に過ぎなかった。

政宗にすれば、一人の功臣より、多くの御一門、一家、一族衆を養わねばならなかった。伊達藩という組織の活動を邪魔する奴は徹底的に排除する、自分の命令に逆らう者は無用であり敵である、という考えに惹かれて行った。

既に、スペインとの交渉が頓挫した以上、キリスト教はもはや無用の宗教以外の何物でもなかった。むしろ、キリスト教信者の探索掃討を通して、流動的な家臣の心情を結束し、伊達藩を更に強力なものにまとめる道具にしようと思った。戦国を生き抜いてきた政宗という男は、一方では家臣の長であり、一方では一人の独裁者であり、非情でもあった。

スペインとの交渉が決裂し、政宗の夢と野望が閉じられようとしている今、彼等を庇い、自分が潰れる方を選ぶ愚か者がいるか。

(死にたい奴は勝手に死ね。仙台での布教の許可は、南蛮や教皇を利用する方便に過ぎなかったのかと言って、誰が儂を非難できようか。しかし、それも今は終わった。我らは生きねばならない。伊達藩を生かさねばならない。奴は、もはや無用である)

これが政宗の出した結論であった。

元和年間(一六一五～一六二四年)に行われた検知において、あらかじめ定めた知行高を超えた開発分は蔵入地として藩の所有となり、仙台藩の実高は表高の六十二万石を超えていくのである。

六右衛門常長の最期

その間、切支丹の取締りは相変わらず続けられたが、常長の事跡は、一切、その名を出すことさえも禁句となっていた。

常長が洗礼を受け、ローマ教皇より熱烈な歓迎を受けて帰朝したことが、また、帰藩してもそのままキリスト教信者として振舞っていることが、大っぴらに幕府に知れる事は、仙台藩の存亡に係る事態であった。

藩として重要なことは、如何にして、人知れず常長の事跡を抹消するかにあった。政宗は、あたかも常長の帰朝に合わせるかのように、一層厳しい禁教へと方向を転換していった。

二ヶ月に亘る牢舎での生活と、持病の肺疾は確実にその痩せ細った身体を蝕んでいった。

常長の日課は、朝、目覚めると、妻女のトメに背中を支えてもらい、ロザリオを手に主に祈ることから始められた。萎えてしまった足は、祈るときは、後ろから嫡男の常頼とトメが支えた。祈っている時、咳が小止みなしに続き、常長の身体が大きく波を打つ。何度か苦しそうに息をつく。するとトメがすかさず常長の背をさすってやる。やがて、少し落ち着くとぐったりとして横になるという毎日であった。

それでも体調が幾分良い時は床から出て、持ち帰った磔刑のキリスト像を仏壇の横に秘かに掲げ、しばらく祈っていた。

「主よ、天にましますわれらの父よ。御名が崇められますように……」

常長はいつもと同じように祈り始めた。

「主よ。我に力を与えたまえ。我らを守りたまえ」

しかし、この頃は、祈っている途中で咳き込む発作に襲われることが多くなっていた。常頼やトメが交代で、せっせと背中をさすって介抱するが、咳はすぐに止まなかった。咳と共に紅い血が唇を染めた。直ぐに手拭いを当てるが、そのような苦しい時でも、常長は祈りを止めなかった。

「御心が行われますように。我らと貧しい百姓達が救われますように」

「鞭打たれる者達に安らぎが訪れますように…」

途切れ途切れになりながら一通りの祈りを唱え終わると、ようやく安心して眠りにつくのだった。

ある晩、日もとっぷり暮れて、辺りが闇に閉ざされる頃、ホトホトと裏の戸を叩く音が聞こえた。トメが気付き、名前を尋ねると、闇の中に立っていたのは後藤寿庵とアンジェリス神父の二人であった。

トメは急いで二人を家の中に招じ入れると、常頼に知らせた。

常頼は黙って二人を奥の常長の寝所に案内した。燭蝋が常長の顔を鈍く照らしている。寿庵もアンジェリスも常長の顔色を見て驚きの余り声を上げそうになった。そこに横たわっている人影は、眼を閉じたまま微かに息をしていたが、彼らの呼ぶ声には応えなかった。

常頼が側により「父上」と大きく揺すると、かすかに眼を開けたが、再びそのまま閉じた。その寝顔は穏やかで、時おり誰かに微笑んでいるようであった。

「六右衛門殿」寿庵は枕元に寄って声を掛けた。

しかし、常長からの反応は無く、そのまま眠り続けていた。

「此の度、教皇パウロ五世に宛てて、我が出羽奥州切支丹の実情を奉ずる書を提出する予定です。ついては貴公の署名を頂戴に参った次第」

寿庵は眠っている常長にそう言うと、奥州出羽の有力切支丹達が連署した書簡を広げた。それには墨痕鮮やかに、巻頭より政宗が諸大名の一人にすぎないことが縷々述べられてあった。

そして、ついに仙台領内でも切支丹迫害が始まり、政宗は、切支丹五人の斬首を命じたこと、多くの殉教者が出たことを伝えていた。

迫害の開始された日付は、常長が帰国した僅か二日後の、九月二十日（元和六年八月二十六日）としてあった。

その奉答書を寿庵は眠っている常長のすぐ目の前に掲げ、

「六右衛門殿、この書簡が御覧になれますか」

寿庵は各々の署名の下に血判が押された連判帖を両手で押し広げた。しかし、常長は眼を瞑り、ピクリとも動かなかった。

「しまったぁ——、遅かったか」

「貴公が牢舎に囚われの間、我々はアンジェリス神父と在所々々を駆け回り、捕えられ、泣かされたる者達から、漸く、皆の署名を集めてきました。この実情を是非ともローマ教皇に報告するつもりです」

「……」

「それには是非とも、貴公の署名が欲しいのじゃ」

寿庵もアンジェリスも膝を寄せ常長の枕元に擦り寄ったが、常長の反応は無かった。

常長は眠っているように眼を閉じたままである。既に、常長には他人の顔や字を識別する力は残っていなかった。

それから数日後、一つの大仕事を終えたかのように常長は静かに息を引き取った。穏やかに眠っているようであったという。

元和七年七月一日（一六二一年八月十八日）、仙台に帰着してから、僅か一年に満たずに、支倉六右衛門常長死去する。

享年五十一歳。

（筆者注）、支倉家の家譜によれば、常長の死亡年は元和八年七月一日とされているが、この奉答書が作成されたのが、元和七年八月十四日であり、常長が生きていれば、当然、常長の署名が為された筈で、この奉答書に常長の署名が見られないのは、この時、常長は先に述べたように重病で床に伏せていたか、あるいは既に病死していたからと考えられる。

そのことから見ても、家譜の常長の死亡年は何かの都合で一年遅く記録されたものと思われる。

また、一緒に帰国した横澤将監の署名があるという事は、常長が署名を拒否したのではなく、出来ない事情があった、あるいは既に死亡していた、そのいずれかであることを裏づけていよう。

この年の、元和七年（一六二一年）一月二十八日には、既に、パウロ五世はローマ教皇の座を去っており、グレゴリウス十五世に教皇の座は移り、また、同年三月十一日に、大航海時代の終焉を象徴するかのように大帝国スペインを率いた国王フェリッペ三世が世を去っている。

一方、東洋からやって来た使節等に対し、常に敬意を払い、常長の強力な後ろ盾になってくれた宰相レルマ公は、既に失脚していた。

こうして、政宗の夢を乗せた遣欧使節に関わった主要な四人の人物が、この野望を秘めた舞台から去っていったのである。

そして、この時期を境に、政宗の素早い政策の転換が図られることになる。幕府の意向を受けて、仙台藩での切支丹取締りはこの後、一段と厳しさを増していった。

アンジェリス神父の先の書簡によれば、政宗が切支丹五人の斬首を命じたのは、常長が帰国して間もない時であった。

続いて、水沢城主後藤寿庵の城下で行われた切支丹狩りと、日を置かずに彼らへの拷問と処刑が行われた。

政宗が最も信頼する後藤寿庵に対しても呵責容赦なく、改宗の圧力が加速していった。

「もし従わなければ反逆の意有りとして、構わず捕縛せよ」

と厳命が下される。その中の一人に、当然、支倉常長も入っていた。

冒頭でも触れたように、八年にもわたり、太平洋、大西洋を往復してきた頑強な海の男が、帰国して僅か一年足らずで、死亡したと云う事には、何かそれなりの訳があったに違いない。

しかも、その事情を伝える伊達家の記録や歴史書は、この間の常長のことには一切触れないまま、空白となっている。これには何か、記録に残したくない事情があったのかもしれない。

捕縛を恐れた寿庵は夜、密かにアンジェリス神父等と他藩への逃亡を図っている。寿庵のその後の消息は不明である。

しかし、現在も、この水沢地区には多くの隠れ切支丹が住んでいたという痕跡が認められる。土地の古老に尋ねてみると、この地区には部落のあちらこちらに切支丹塚と称される墓が残っているという。

あるいは寿庵は、捕縛を免れ、この部落の何処かで寿命を全うし、無名の隠れ切支丹の墓の下に眠っているかもしれない。

アンジェリス神父はその後、江戸で捕えられ、三代将軍家光の命により、江戸市中引き回しの上、ガルペス神父や五十人の信者と共に三田の札ノ辻（ふだのつじ）にて火刑に処された。

ソテロ神父の処刑

一方、もう一人の主人公であるソテロ神父は、野心と布教の信念に燃え、再びマニラから日本に潜入する機会を狙っていた。

一旦、本国セビリアで、メキシコ行きの足止めを食ったが、その後、常長の後を追って、メキシコからマニラに渡って来ると、マニラの司教区でも、ソテロの日本渡航は反対にあっていた。

日本での禁教・迫害の情報が次々と現実となって伝えられる中、

「政宗はキリスト教徒の保護に大いに尽している」というソテロの弁明は、ただ信頼を落とすだけであった。

しかし、そんなことを一々気にするソテロではなかった。ソテロには、たとえ自分が迫害を受けてでも、聖フランチェスコ（聖人、フランシスコ会の創設者）たらんとする大きな志があり、日本宣教という若い時からの夢があった。

その為に、マニラに神学校と、日本人を司祭に叙階させる拠点を作るという私案があり、日本への宣教師の派遣と司教の任命は必須であると説いた。

更にソテロは「政宗は家康の死を待たずに挙兵し、もし彼が勝った時にはキリスト教界はいっそう拡大するであろう」などと、自説を維持するために嘘を重ねていった。

これらの言動は、マニラのフランシスコ会やマカオのイエズス会の知るところとなり、ソテロの日本渡航は、かえって日本における迫害を煽るとして、渡航禁止を決定した。

早速、司祭たちは、ソテロを捕えると、無理やりメキシコ渡航船に乗せたが、暴風雨のためソテロの送還に失敗している。

しかし、こんなことで諦めるソテロではなかった。マニラに居ては様々な妨害が入り、日本渡航は出来ないと考え、郊外のカビテ湾に出入りする中国人達に話をつけ、彼等のジャンク船に乗せてもらうように渡りをつけた。

中国人になりすましたソテロが長崎に密入国を決行したのは、元和八年九月中旬（一六二二年十月末）であった。

ソテロのこれらの一連の行動について、ここに、ソテロを擁護するレルマ公の覚書がある。

「ルイス・ソテロが遠隔の日本から使節団を伴って無分別に来訪したことを、詐欺にも劣ると糾弾する報告もある。しかし、日本に渡った修道士の中で、最も禁欲的な生活と苦労をもって十二年間、その国の改宗事業を通して私たちの主に奉仕したことは、何にも増して偉大な真実である。（中略）無分別という過ちを犯したとはいえ、神への奉仕となる重要な行為は、私利私欲ではなく神に仕える目的であった故に咎めるべきではない」と。

続けて、レルマ公はソテロに温かい同情を示している。

「奥州国の司教就任にソテロをローマ教皇が推薦した点について、彼を野心家と非難することはできても（中略）本人自身は、その就任を何度も固辞しているのであり、司教職は知行も名誉もない苦労と疲労だけの地位に過ぎない」

最後にソテロを理解するよう結んでいる。

「彼を知る者ならば、偉大な信徒であることを認めるであろうし、脚を骨折し体力を消耗するまでして経験した蔑視と迫害と苦難は、それを証明している。従って、国王陛下には彼の善意を知っていただくことが肝要である」と。

このレルマ公の覚書にソテロという人間の人と為りが端的に表われている。

ソテロは至高の目的『神への奉仕』のためには手段を厭わなかった。仮令、それが皆に非難されようと、嘲りを受けようと、自分が正しいと信じた道を、ただ真っ直ぐに進んでいったのである。

但し、悪行を行うというのではなく、他人の迷惑は考えないという性質であった。彼の前に立ちふさがる物は何であれ、単なる血の通わない障害物にしか過ぎなかった。

中国船でマニラを脱出したソテロと二人の日本人の修道士は、中国人に変装して薩摩に到着した。しかし、中国人の船長と乗組員は、自分達が切支丹密入国の巻き添えになることを恐れ、また、切支丹密告の報奨金に眼がくらんで港湾の役人に通報した。

ソテロ達はそのまま長崎へ護送された。

ソテロは長崎に於いて捕縛され、長崎奉行長谷川藤正の面前に引き立てられた。当時、長谷川は『鬼の権六』の通称で呼ばれ、酷薄で切支丹弾圧に容赦ない奉行として、各地の切支丹から恐れられていた。

権六によって捕えられた多くの切支丹達は厳しい拷問によって転宗され、また頑として転宗しない者は、容赦のない拷問でそのまま息絶えたという。

ソテロは堂々と「自分は奥州伊達政宗の大使としてスペインに渡った者である」と、身分を明かし、「スペイン王からの返書を携えてきたので政宗に連絡を取ってくれ」と恐れずに頼んだが、権六は一旦、聞く素振りを見せたものの、内心、（大物が掛かったわいっ）と、ほくそ笑み、幕府の指図を仰ぐため彼らをそのまま大村藩にある牢に送ったのである。

宣教師達が収容された大村藩の牢は、十二畳ほどの広さの牢屋で、周りを鳥籠のように竹で蔽われ、入り口は丸太で格子が組まれていた。絶えず四、五人が収監されており、狭く、厠も牢内にあり極めて不衛生で、耐えがたい悪臭に充ちていたという。

ソテロは牢内から政宗に宛て、救済を懇願する手紙を出したものの、すぐに届けられたかどうかは定かではない。

ただ、ソテロが長崎で捕えられたことは、その後仙台に伝わっていたが、そのまま無視されたのであった。

返書が届かぬソテロは、翌年（元和九年六月二日付）再び、仙台に向けて発信している。仙台藩からソテロ宛てに返書が届いたのは元和九年（一六二三年）七月二十四日付の仙台奉行石母田大膳からで、その内容は簡単に、幕府年寄土井利勝へ復命の機会が実現できるよう取り次ぐことを伝えるものであった。

幕府と長崎との交渉は進展せず、ソテロは二年もの間、この過酷な環境の中で在牢することになった。

一方、ソテロは長崎に密入国後に常長の死を知らされた。それはソテロにとってなによりの衝撃であった。普段、悲しみの表情や涙を見せることのない彼に、全身が震えるほどの哀しみが襲った。

彼は、大村牢から教皇グレゴリオ十五世に宛てた書簡（元和九年十二月一日付）で、常長についてこう述べている。

「いま一人の大使である、我が同僚フィリッポ・ファシェクラは国王（政宗）のもとに戻って、国王から大いに表彰されました。かくも長旅による疲労を回復するために、自分の所領で休養し、妻子や家の者を家来と共にキリスト教徒となし、多数の血族や縁者の地位ある家臣にも教えを説きました。ところが、帰国後一年にもならないうちに、あらゆる感化と模範を示して敬虔のうちに死去しました。その子ども達に遺言して、彼の所領に信仰を弘布し、領国を巡歴する宣教師に保護を与えるよう命じました」（大日本資料十二・十二）

常長に関するこの一章は、ソテロが大村に入牢してから、常長の死を伝え聞いたことの証であろう。この書簡によっても、常長の死は帰国後一年にも満たないことが知れる。

ソテロは、常長のことをつい昨日のことのように思い出していた。足掛け八年にも亘る星霜を費やし、二人で歩いた国々での出来事が、走馬灯のように彼の脳裏に浮かんでくる。

月浦から大勢の人々に見送られた、誇らしくも華やかな出航、やがて襲ってきた嵐に翻弄された太平洋上での難儀や、ビスカイノとの葛藤、アカプルコでの入港の情景が、常長の姿と共に蘇った。

常長に付き添い、その側で必死に通訳する自分の姿が二重写しになって現れてくる。

どんな難しい場面でも、臆することなく武士として姿勢を正していた常長の姿が、すぐ目の前に居るかのように思われるのであった。

アカプルコの港からメキシコシティまでの長い山越え、喉が渇き肌を焼き尽くす灼熱の太陽、一面に広がるサボテンの荒野、そしてようやく辿りついたクエルバカの教会の祭壇で見た、長崎二十六聖人の殉教の絵画を目の当たりにした時の一行の驚きと戸惑いなど、眼を瞑っていても次々と現れてくるのであった。

その時、常長は、なんという慙愧（ざんき）の思いと落胆の入り混じった悲しい表情を見せたことであったろうか。ソテロはその時の常長の表情を今でも忘れない。薄日の射し込む薄暗い祭壇の壁の前に跪くと、常長は深々と頭を下げて祈っていた。その姿は、若い頃、合戦で雄叫びを挙げた侍とは別人であったろう。

ソテロはその姿を見た時、この男はいずれ、使節一行の誰よりも主に仕える敬虔な使徒になると確信したものであった。

その男が、既に天に召せられて死去しているという。

声を掛ければ常長がすぐそこに居るようにさえ思われた。ソテロは丸顔に少し不釣り合いな大きな目をした、いつもの気さくな表情ですぐ振り返ってくれる常長の姿を思い浮かべた。

常長との最大の思い出は、二人で臨んだローマ教皇との会見であった。その光景は今でもありありと眸の奥に焼き付いている。

その日のために集まった枢機卿や司祭達、王族、貴族に見守られる中を、なんとその儀式は厳粛に華やかに執り行われたことであろう。

張りつめた空気の中、謁見の間にお座りになられている教皇のお姿がなんと神々しく尊く感じられたことであろうか。二人ともに高揚し、この上ない誇らしさに震えたことであったであろう。

その時のことを思い出す度に、今でも興奮がこの冷たい牢獄の中でソテロの身体を震わすのであった。

教皇の前に二人で厳かに進み、奥州王の親書を奉げて手渡す瞬間はソテロにとっても常長にとってもこの上ない名誉であり、誇りであり、至福の時であった。

今、その常長が既に亡くなっているという。

幕府による禁教政策が既に全国に行きわたり、スペインとの通商は今や実現不能になってしまった政宗にしてみれば、下手に動いて痛くもない腹を探られる愚かさは避けねばならなかった。

仙台奉行石母田大膳から長崎奉行への書状には、ごく簡単に、

「ソテロ殿が無事スペインへ帰国されんことを望む」と、差し障りのない外交辞令のような言葉が書かれてあっただけだった。

つまり、ソテロも、もう用の無い者であり棄てられたのであった。

遂に、ソテロは寛永元年（一六二四年）七月十二日の朝、二人の神父（イエズス会ミゲル・カルバーリョ、ドミニコ会ペドロ・バスケス）と共に処刑のために牢より引き出された。

彼らは各々の会派の修道服を身に着けて、裸足のまま牢獄を出た。

そこから一里ほど先にある放虎原（ほうこばる）の処刑場に向かうためである。放虎原の荒野は大村藩の処刑場

であった。

他に二人の信者、ルイス笹田修道士とルイス馬場という十五歳に満たない少年を含め五人であった。彼らはいずれも首と両腕を縄で結ばれ、縄の端を牢番人に捕まれて引かれて行った。両手だけが自由であったので、手にはそれぞれ十字架を握っていた。

牢番人に引かれた一行は牢からの坂道をゆっくりと下りながら、神を賛美する『サーム（詩編）』と『テ・デウム・ラウダームス（我ら御身を神と讃め称える）』を唱えていた。

辺りにはまだ葉の青い蜜柑畑がひろがっている。

役人達は彼らにそのまま構わずに歌わせていた。彼らの歌声と祈りは、野良仕事で腰を屈めている百姓達や女房達にも聞こえた。

やがて、藁屋根の家が並ぶ町屋に入ると、そこここに居た女や子ども達が驚いたように振り返り、一行の周りに集まって来た。彼らは、これから切支丹への見せしめの処刑が行われるのを知っていた。女房達も百姓らも一様に粗末な衣服を着ていたが、彼等が引かれていくのを見ると、急いで襟を合わせ胸の前で手を合わせた。それから連れ立って一行の後を追った。

一行は、役人に側を固められ、大村湾を眼下に望む岬の外れの放虎原（ほうこばる）まで連行されて行く。この大村湾に続く丘陵は、今までにも多くの切支丹が殉教している場所である。

この日、大村湾は風が強く、白波が立っていた。

ソテロが日本への布教を目指し、故郷セビリアを後にしてから、既に三十年近くの月日が経っていた。

「早いものだ、あれから、三十年の月日が流れたとは…」

縄で引かれながら、ソテロは誰に語るともなく独りごちた。

（故郷を離れ、日本へ布教を目指すようになってから、今まで様々なことがあったが、これも全て神のお導きであった。その間、幸せと思ったことや、苦しいことにも、沢山出会ってきた。ある人々は私を称賛してくれたし、またある人々は私を非難し、きつい言葉で謗（そし）ったが、今となってはそれらも全ては神のお導きであった。私は死など少しも恐れはしない、それが神の御意志ならば。むしろ、殉教こそ私の願いであった）

ソテロはずっと昔の神学生だった若い時のことを思い出していた。

（そうだ、聖フランチェスコの清貧と死をも辞さぬ殉教こそが私の願いであった。その為にこそ、この国を選んだのだ）

行列は大村湾を望む荒れた丘陵に差しかかった。山道の両側には背丈ほどの夏草が茂っている。

山道を抜けると急に視界が開け、大村湾が一望された。遠くまで青白い海が光っている。処刑場では既に磔柱が組まれて役人たちが待っていた。

囚人一行が到着すると、いつも取り調べに当たっていた奉行の長谷川権六が近づいてきて声を掛けた。

「神父（パードレ）、いよいよ最後だな。何か言い残すことはないか」と、薄笑いを浮かべた。

ソテロは彼には答えず、他の四人の方へ向き直り、大きな声で
「みなさん宜しいですね。すべては主の御心です。もうすぐ私達は主の許に行けるのです。どうぞこの運命を静かに受け入れましょう」

ソテロは皆を励ますように声を掛けた。

「私達の死は決して無駄にはなりません。これでようやく私達は、この憎しみと虚栄の現世の罪から解放されて、主のお傍に行けるのですから」

すると、二人の神父とルイス笹田、ルイス馬場修道士はソテロに深く頷くと手を合わせた。

「それに傲慢と言われた私の罪からも…」

と、ソテロは付け加え、静かに十字を切った。

しかし、ルイス馬場の両手はその痩せ細った胸の前で小刻みに震えていた。

やがて、配置についた役人に権六の声が掛かった。

「始めよ」

五人の殉教者たちは次々に十字に組まれた木柱の上に手と足を縛られる。それが済むと彼らを縛った磔の柱が順番に立てられていく。

五本の十字架が丘の上に立ち並んだ。

高々と立てられた磔柱の下には、乾いた薪が組まれ、その上にこんもりと芝が積まれる。

潮風が彼らの頬と痩せた身体に吹きつけた。竹矢来の柵に集まってくる大勢の群衆がみえる。皆

泣いているような表情で口ぐちに何かを唱えている。

岬の向こうに大村湾の白波が望まれる。海風がソテロらの髪をなびかせ、法衣の裾を払っていく。やがて刑の執行人達が松明（たいまつ）を持ってやって来ると、権六がルイス馬場の十字架の前に立った。

「いよいよ最後だが、お前はまだ若い。何も彼らと一緒に無駄に死ぬことはない。どうだ今からでも転（ころ）ぶ気はないか」

権六は両手足を縛られ、小刻みに震えている馬場少年を見上げた。

まだ表情に幼さが残る馬場少年は、少し間を置いてから震える首をぶるぶると左右に振った。

「そうか、どうしても否か」と言うと、今度はソテロの方に向き直り、侮蔑を含んだ声で叫んだ。

「神父（パードレ）、この際、冥途の土産に是非聞かせてくれ。この期（ご）に及んでも、何故、お前達の神は黙っているのだ。何故、お前達に手を差し伸べて救ってくれないのか」

権六の大きな声は風に煽られて途切れ途切れに辺りに飛び散った。その声は、竹矢来で心配顔に見つめている群衆にも聞こえた。

「いったい何故だ、何故なのだ」と、権六の声は辺りに木霊するように響いた。

「神に命を懸け、身も心も奉げた神父（パードレ）らが、これから炎熱の火の地獄に投げ込まれるという時に。何故、こんな肝心な時でさえ救ってはくれないのだ、その訳を儂にも是非、教えてくれ」と、権六は、どうしてもそこが理解できないと怒ったように叫んだ。

「どうせお前らの神は、偉そうに見えても所詮、何の役にも立たない屑や芥とおなじであろうに」

彼らの信ずる神が、この場に及んでも結局は無力で何も出来ず、さも価値の無いものでもあるかのように吐き捨てた。

すると、磔柱にきつく縛られたソテロは、最後の力を絞り、諭すように彼の言葉に応えた。

「たとえ炎熱の炎が、我々の身体を焼き尽くそうとも、決して我々の魂まで焼き尽くすことは出来ないのです」

そしてソテロは磔柱の上から、権六の顔を憐れむように見ると、

「主はいつも我らの側に、祈る我らと共にいます」と、はっきりとした日本語で答えた。

「そうか、そこまで言うなら止むを得ん、皆の者、用意はいいか」と叫ぶと、役人達に向かい「火を点けよ」と大きな声で号令した。

権六は叫ぶと同時に、持っていた鞭を振り降ろした。松明を持った役人達が各々配置に着き、磔柱の足もとに積み重ねられた藁に一つ一つ点火した。

藁の火は折からの風に煽られて勢いよく燃え上がった。パチパチと大きな音をたてながら火は高く積み上げられた薪に移ると、紅蓮の炎と共に黒煙が五本の柱の周りを渦巻くように立ち上った。

群衆が動揺し、ざわめきたった。やがて手を合わせると、一斉に声をそろえて祈りを捧げた。

「テ・デウム・ラウダームス（我ら御身を神と讃め称える）」

群衆の唱える祈りは風に乗って放虎原の丘一帯に響き渡った。

ソテロも他の殉教者達も、立ち上る炎と煙の中で、一緒に人々の声に唱和した。

「テ・デウム・ラウダームス」

燃えさかる炎の中から、時おり苦しそうな叫喚と咆哮が聞こえる。

暫らく殉教者の祈りの声が聞こえていたが、やがてその声も小さくなり鎮まった。

海からの風は強さを増し、十字架を焼き尽くす炎はさらに激しく燃え、煙と共に彼らの法衣を包んだ。

荒涼とした放虎原の丘に、五つの黒い影だけが立ちのぼる煙の中でくすぶっていた。

ルイス・ソテロ神父、大村放虎原にて殉教。享年五十一歳。

（注７）「雄勝湾を隠蔽」する為すり替えられた「月ノ浦」

あのビスカイノが「世界の中でも最良」と評していた雄勝湾に、「遠浅混在」と事実と正反対の文言が書き込まれ、明らかに何かを隠そうとする意図が感じられる。

（前掲書）『「つきのうら」の真実』遠藤光行著

エピローグ

奥州の覇者、伊達政宗の夢はここに脆くも潰えた。

常長にスペイン王国との友好と通商の夢を託した政宗の夢は、ソテロの処刑によって完全に幕を下ろした。あわよくばスペイン王国との軍事的提携さえも目論んだ野望は、粉々に散ったのである。領内でのキリスト教の布教などは、その単なる見返りに過ぎなかった。同時代の誰よりも知略に富んだ政宗は、あたかも小賢しいソテロの思惑に乗せられたような素振りで、ソテロの提案を利用したのである。

政宗にとって、使節派遣は、決していい加減な考えからの発想ではなかった。政宗が若かった時分に訪れた先々で、西国大名との交際や南蛮人を通じて様々な情報を得た。この時に得られた知識や経験は、その後の政宗の物の見方に大きな影響を与えた。

日本の周りをめぐる世界の出来事が、直接、国内の動きに直結する時代に入って来たのを、政宗自身、ひしひしと肌で感じていたのである。

しかし、日本国内の現状はというと、まだまだ各地に不安定な要素が蠢(うごめ)いていて、徳川の政権さえ、まだ確固としたものとはなっておらず、何時、不測の事態が勃発するか予断を許さなかった。

政宗にとって、或いはもう一度、千載一遇のチャンスがやって来るかも知れない。或いはもし、あと十年早く生まれていれば、政宗が天下を取れたかもしれなかった。

南蛮人からの情報や、彼らのもたらす進んだ技術を眼の当たりにして、再び、政宗の夢は膨らんでいった。そんな時、慶長の大津波に襲われる。しかし、政宗は南蛮との通商の道を開き、復興の起爆剤にしようと使節派遣に賭けたのである。

これこそ、誰にも怪しまれることのない、一石二鳥の奇策であった。しかし、結果として『慶長遣欧使節』は失敗に終わる。

常長の持ち帰った物は、僅かに『ローマ市公民権証書』とフェリッペ三世からの表面的で内容のない返書、それにキリスト教関連の聖具類などだけであった。

しかも、ある程度の予測はしていたものの、政宗が一番信頼を寄せていた寵臣の一人、常長が切支丹に改宗して戻ってきたのである。

先にも述べたが、幕府の切支丹禁制の政策に順応する立場からも、仙台藩としては保身上従わざるを得なかった。常長帰国と同時に、敢えて切支丹取締りを強化する政策に転向したのである。

一方、常長は万里の波濤を越えて仙台へ戻っては来たものの、現実の世が自分の思い描く世の中と余りに違っていることに失望する他はなかった。

常長は日本国以外に、もっと大きな世界があることを、己の肌を通して、直接自分の眼で見てきたのである。主人に対する忠義よりもはるかに大きな世界があることを思い知らされたのである。

今、眼の前の現実にぶつかり、冷静に事態を見つめ、再び、この世界で生きていこうと思う時、何故か、決められた枠からはみ出してしまうことの方が多かった。それはあたかも、小さな升に大きな升を入れよと云われるのに似ていた。
常長にとり、今や日本国とか仙台藩という枠の中で、生を全うするということ自体、たいした魅力を感じるものではなくなっていた。

常長が帰国して一年足らずで何故死んだのか、八年余もの長きに亘り、地球を半周するほどの大旅行を成し遂げた、頑健な体躯の持ち主でもある常長が、帰国して何故すぐ死なねばならなかったのか。

この疑問に答えられる人は意外に少ない。

大抵の書物には、帰国して一年足らずで病気で死去した、あるいは旅の疲れで死去したと、通り一遍に触れられているだけである。

もちろん長年に亘る旅の疲れもあったろうし、持病もあったであろう。しかし、真っ黒に陽焼けし、元気で戻ってきた常長の死を説明するのに相応しいとは思えない。

しかも彼の死は、その後、二百五十年の間、徹底的に歴史から抹殺されたのである。彼の名前を出すことさえ禁句となっていった。そこには何かがあったと考えるのが自然ではないだろうか。

今回、この物語を書いていて、筆者は、世の中には別な新しい世界があるのを己の眼で見てきた常長の、日本に戻って感応した世界観との隔たりが、彼の命を縮めたものと思っている。

それ故、彼は、例え牢に収監されることになっても、その間、厳しい迫害や拷問を受けたとしてもキリスト教を棄てることはなかったのである。

彼が牢に収監されたことも、あるいはもしかして拷問があったかもしれないことも、その後の歴史は沈黙していっさい語ることはない。

しかし、他の百姓達や切支丹が次々と取り調べを受け、折檻や拷問を受ける中で、常長だけが免れるとは考えられないのである。いずれ常長にも、その時が巡って来たと考えるのが自然であろう。どんな頑健な体躯や精神の持ち主であっても、人は、とても長時間の肉体的折檻や拷問に耐えられるものではない。

忠臣として仕えてきた一人の武士として、彼の心の奥で煩悶する精神的辛さが、身体的苦痛を伴って、彼の死期を早めたと言えないだろうか。

しかし、そこの処は一切、語られること無く、深い闇に閉じられたままなのである。

常長はその後、自宅に戻され蟄居処分となり、家族や周辺の人達に見守られながら一年も経たない中に死去したとされる。

自宅に戻った常長が屋敷内では敬虔な信徒として過ごしたことは、常長の死後、屋敷内からキリスト教信仰を裏付ける多くの聖具類が発見され、息子や家僕達も信徒であったことが判明して、支倉家が改易になったことでも明らかである。

元和十年（一六二四年）一月、イエズス会神父カルバリヨら九名の信者が、仙台城下の広瀬川で厳寒の中、水責めによって処刑される。

寛永十三年（一六三六年）五月二十四日（一六三六年六月二十七日）、伊達政宗死去（享年七十歳）。
翌年、政宗の喪が明けるや支倉家への捜査、襲撃が始まる。
寛永十四年（一六三七年）七月、支倉家の家扶二人が拷問の上、切支丹として処刑さる。
寛永十七年（一六四〇年）三月、常長の長子常頼（四十二歳）、切支丹の科で斬罪、家扶三人処刑。
二男常道夫婦、切支丹の嫌疑がかかり出奔。後、捕えられ刑死。この年、支倉家が改易となっている。

冒頭でも触れたが、その時、多くの切支丹関係の品々が押収されるが、その中に、常長の残した十九冊の旅日記があったことが記されている。

常長は旅先での見聞を小まめに記していたという。これだけの冒険譚が発見されれば、マルコ・ポーロの『東方見聞録』をも凌ぐ紀行文として、世界的な文化遺産となるであろう。

単純に移動距離だけを比べてみても、マルコ・ポーロはベネチアから陸路出発して、中国の元に到達し、海路帰国しているが、その移動距離は精々、世界の三分の一である。

常長の場合、太平洋、大西洋と二つの太海を渡り、その後、ローマまで到達し、海陸と、ほぼ世界の円周の四分の三を踏破し、しかも、帰途はマニラ経由で往復しているからである。

おそらく、この時代に伊達政宗という類まれな武将が生まれていなければ、この大事業を発案することはなかったであろう。

政宗という男は、単に一代の英傑であるだけでなく、先の見通しの利く優れた政治家でもあった。

政宗の頭の中には、既に、世界という地図が入っていたと云えよう。

皆が、眼を西に向けていた時に、彼一人は太平洋という東に眼を向けたのであった。無論、もう一人家康がいたが、彼の関心はもっぱら貿易で挙がる利だけに限られていた。政宗の描いた夢はもっともっと大きかった。その夢を実現させるために選ばれたのが、常長であった。

これまで、支倉常長とその使節については、多くの誤解と偏見があったと言えよう。

また、その歴史的意義についても、長年の間、悲劇の人として無視され、忘却の彼方に置かれ続けてきた。

その誤解の一つがどこから来るかと言えば、まずこの使節をキリスト教の使節という一面だけから捉えてしまい、それ故に、帰国の際に、まさに悲劇の人にされてしまったことである。

先にも述べたように、政宗はこの『慶長遣欧使節』を送る段階では、キリスト教布教の問題は、一つの外交辞令としか考えてはいなかったのである。

そして、使節の帰国の段になって、切支丹弾圧という時代の大きな波に呑まれてしまった、というのが真相なのである。

政宗の真の狙いは、あくまでも南蛮諸国との交易であり、彼等の持つ近代技術と西洋文明の習得であった。

だからこそ、政宗は大西洋をも越え、セビリアからローマへの道を夢見たのであった。

仮令（たとい）、それがソテロの話に乗せられたことだとしても、政宗にとっては願ってもない事であった。

その為にこそ、慶長の大津波の始末の中、莫大な費用を掛けてまでソテロの話に乗り、ソテロを利用したのである。

刻々と変わる世界の情報を得て、この役目を成し遂げるに相応しい人物は、常長より他には居なかった。

大航海時代と言われる一つの時代の中で、西欧諸国が争って植民地獲得に鎬を削る中、常長は日本という国の印象を世界の人々に鮮明に示した本邦最初の外交官であったといえよう。

（了）

主な参考文献

『仙台市史　特別編8　慶長遣欧使節』仙台市史編纂委員会
『ローマへの遠い旅』髙橋由貴彦（講談社）
『伊達政宗の遣欧使節』松田毅一（新人物往来社）
『支倉六右衛門と西欧使節』田中英道（丸善ライブラリー）
『図説・伊達政宗』渡辺信夫監修・仙台市博物館編（河出書房新社）
『支倉常長慶長遣欧使節の真相』大泉光一（雄山閣）
『大日本史料第十二編之十二』東京大学史料編纂所（東京大学出版会）
『人物叢書　支倉常長』五野井隆史（吉川弘文館）
『仙台藩家臣禄第四巻』（歴史図書社）
『支倉常長伝』支倉常長顕彰会編（宝文堂）
『伊達侍と世界をゆく』篠田有史写真・工藤律子文（河北新報出版センター）
『政宗の夢　常長の現』濱田直嗣（河北新報出版センター）
『潮路はるかに』河北新報社編（竹書房）
『復元船サン・ファン・バウティスタ号大図鑑』慶長遣欧使節船協会（河北新報出版センター）
『戦国日本と大航海時代』平川新（中公新書）
『みちのく切支丹』只野淳（富士クリエイティブハウス）
『キリシタン禁制史における東国と西国』村井早苗（大崎八幡宮）
『伊達政宗と手紙』佐藤憲一（大崎八幡宮）
『仙台藩の警察と牢』吉田正志（大崎八幡宮）

『世界史の中の常長』跡部進一（大崎八幡宮）
『伊達政宗と慶長遣欧使節』佐々木徹（大崎八幡宮）
『宮城県大和町西嵐の五輪塔』佐々木和博（仙台市博物館調査研究報告第13号）
『検証・伊達の黒船』須藤光興（宝文堂）
『「つきのうら」の真実』遠藤光行（蕃山房）
『望郷のとき』城山三郎（文春文庫）
『ヨーロッパに消えたサムライたち』太田尚樹（ちくま文庫）
『侍』遠藤周作（新潮文庫）
『山岡荘八歴史文庫　伊達政宗』山岡荘八（講談社）
『イダルゴとサムライ』ファン・ヒル　平山篤子訳（法政大学出版局）

写真、手紙 等

P18　支倉勘三郎常頼宛　支倉六右衛門常長書状　（東京大学史料編纂所 蔵）
P72　支倉常長像（高田力蔵模写）（仙台市博物館 蔵）
P88　茂庭石見綱元宛　伊達政宗書状　（仙台市博物館 蔵）
P120　坤輿万国全図（マテオ・リッチ）（宮城県図書館 蔵）
P194　何度か建て替られた牢舎　（仙台市民図書館 蔵）
P224　奥州仙台領国絵図　（仙台市博物館 蔵）

※仙台市博物館蔵の資料については、仙台市史特別編８より転載（利用 No. K20064）
※本書の内容に関しまして、仙台市博物館は監修等一切行っておりません。

Information
仙台市博物館

国宝慶長遣欧使節関係資料や、重要文化財の伊達政宗所用具足・陣羽織、豊臣秀吉所用具足、三沢初子所用帯などの他、仙台伊達家からの寄贈資料をはじめ、江戸時代の仙台藩に関わる歴史・文化・美術工芸資料など九万点を所蔵する。

◎所在地　〒九八〇―〇八六二　仙台市青葉区川内二十六番地（仙台城三の丸跡）
◎ＴＥＬ　〇二二―二二五―三〇七四
◎ＦＡＸ　〇二二―二二五―二五五八
■開館時間／九時～十六時四十五分（入館は十六時十五分まで）
■休館日／月曜日（祝日・振替休日の場合は開館）、祝日・振替休日の翌日（土・日曜日、祝日の場合は開館）、十二月二十八日～一月四日

工藤　隆哉（くどう　りゅうや）

1948年（昭和23年）、宮城県生まれ

慶應義塾大学法学部卒業後、東京の船会社へ入社。その後フリーとなり、各国を旅する。帰国後、『風雅堂亭主（ふうがどうていしゅ）』のペンネームでエッセイなどを書く

趣味は旅とスキーと書道

著　書

「山と旅と歌と」文芸社　2007年

「旅する人のうた物語」創栄出版　2012年

「『奥の細道』後日之怪談（ごにちのかいだん）」文芸社　2014年

歌集「磯千鳥―世も歌につれ―」本阿弥書店　2018年　他

支倉六右衛門常長の最期　―帰朝四百年の謎―

令和2年10月31日　初　版

著　者　工　藤　隆　哉

発行者　藤　原　直

発行所　株式会社金港堂出版部

仙台市青葉区一番町二丁目3-26

電　話　（022）397-7682

FAX　（022）397-7683

印刷所　笹氣出版印刷株式会社